伊藤 敏
Ito Bin

歴史の本質をつかむ「世界史」の読み方

Understanding
the essence
of world history

ベレ出版

はじめに

本書のねらいは、読者のみなさんに「世界史を再発見」してもらうことです。もっといえば、「世界史のイメージを一新させる」ことを、究極の目標としています。世界史に苦手意識を持っている方は、少なくないかと思います。苦手な方は、「用語が多くて覚えきれない」「国や人物が目まぐるしく変わって追いかけられない」「地域や時代を飛び飛びに学ぶので混乱する」などを理由に挙げるでしょう。そんな方に、まず考えていただきたいことがあります。それは、「世界史が得意な人の気持ち」です。「気持ち」と述べましたが、ここでは「心理」といったほうがより理にかなっているかもしれません。そこで質問いたします。苦手な方も得意な方も考えてみましょう。

問．世界史の面白さとは何か。簡潔に答えよ。

「簡潔に」です。得意な方は、熱っぽくあれこれ並べ過ぎないようご注意ください。さて、苦手な方はどのように考えたでしょうか？　苦手なのだから想像するのも難しいかもしれませんが、比較的思いつきやすいところでは、「歴史上の人物の裏話や、意外な人間性に惹かれる」「歴史を動かした出来事の経緯やスケールに面白みがある」などではないでしょうか。これらの解答については、世界史が得意な人も、うんうんと頷《うなず》いてくれるのでは、と思います。その共通点は、いわば歴史の「ドラマ性」です。実際、大河ドラマをはじめ、歴史はよくTVドラマ化されています。「事実は小説より奇なり」といいますが、世界史や日本史には目を見張る出来事や魅力的な人物が数多く登場します。

確かにこうした歴史の「ドラマ性」はとても面白いでしょう。私も、このような「ドラマ性」の楽しさから、歴史が好きになっていったので、例外ではありません。とはいえ、私が訴えたい「面白さ」は、こうした「ドラマ性」とはまた一味違うものです。

では、初めの質問に対する私の解答です。それは、「世界の動きが手に取るようにわかること」です。「やたらスケールが大きくないか？　大袈裟《おおげさ》な」と思われるかもしれませんが、これは決して比喩でも誇張でもありません。今この世界で生じている出来事の大半は、過去の歴史に起因するものばかりです。これを小説や漫画に当てはめれば、「伏線回収」にあたります。つまり、この「伏線回収」が、今この瞬間の、現実世界のあちこちで発生しているわけです。世界史を理解することは、こうした様々な「伏線」を知っておくことになります。そして、その「伏線」が現代につながったことを知ると、私はえもいわれぬ面白さを感じるのです。このような体験を、少しでも多くの人に味わってもらいたい……そんな思いが、私の日々の授業の根底にあり、本書の目指すところでもあるのです。

そしてまた、この「伏線」を理解することが、「歴史の本質」をつかむことに他なりません。本書では歴史上の様々な「伏線」を回収していくことで、「歴史の本質」に迫ろうというものです。そこで、第Ⅱ部と第Ⅲ部に「キークエスチョン」を設けました。読者のみなさんも、本書のいたるところに散りばめた「伏線」がどのように回収されるのか、キークエスチョンの答えを考えながら、宝探しやミステリー小説を読むような感覚で、私と一緒に「世界史の本質」に触れていただければと思います。ピンポイントの人物や出来事といった、局所的な「ドラマ性」にはない、世界史の奥深い面白さを、本書ではご紹介していきます。

だからこそ、本書は読む人を選びません。ですので、以下に少しでも当てはまる方は、きっと本書を楽しんでいただけるのではないかと思います。

・世界史をある程度勉強したことがある
・世界史はほとんど、あるいはまったく勉強したことはないが、学びなおしたい
・学生時代に世界史が得意だった

・学生時代に世界史が苦手だった

得意な方は、これまでの歴史のイメージや理解が覆されると思って、苦手な方は一から新しい知識が増えると思って、楽しみながら読み進めてください。いずれにせよ、各所に散りばめた「そういうことだったのか！」という意外性が、本書の最大の特長です！

また、得意・苦手を問わず、

・世界史を勉強しなおしたいけど、何から手を付ければいいかわからない

という人には、本書がまさにうってつけです。ぜひ本書を橋渡しにして、ご自身の世界史への関心を、より広げていただけましたら幸いです。

本書は3部構成になっており、各部の内容は以下のようになっています。

・第I部……古代から現代までの世界史を通史で概観します。いわば「通史のおさらい」です。太字で示された箇所は本質をとらえる「伏線」に当たります。

・第Ⅱ部……古代、中世、近世、近代という時代区分から、各時代の「伏線」を回収しながら、その本質に迫ります。
・第Ⅲ部……第Ⅱ部であつかった「本質」から、３つのテーマを出発点に、世界史の「再発見」に臨みます。

以上が本書のねらい（＝コンセプト）です。ここからは、いよいよ読者のみなさんと一緒に、隠された「伏線」を掘り起こし、まだ見ぬ世界史の「再発見」へとご招待いたしましょう。

第I部 世界史を俯瞰するための通史

第II部 時代区分から読み解く歴史の本質

第III部 世界史を再発見する歴史の視点 ——より深い理解へ導く見方

第3章 辺境から始まった近現代

第I部
世界史を俯瞰するための通史

第1章
古代

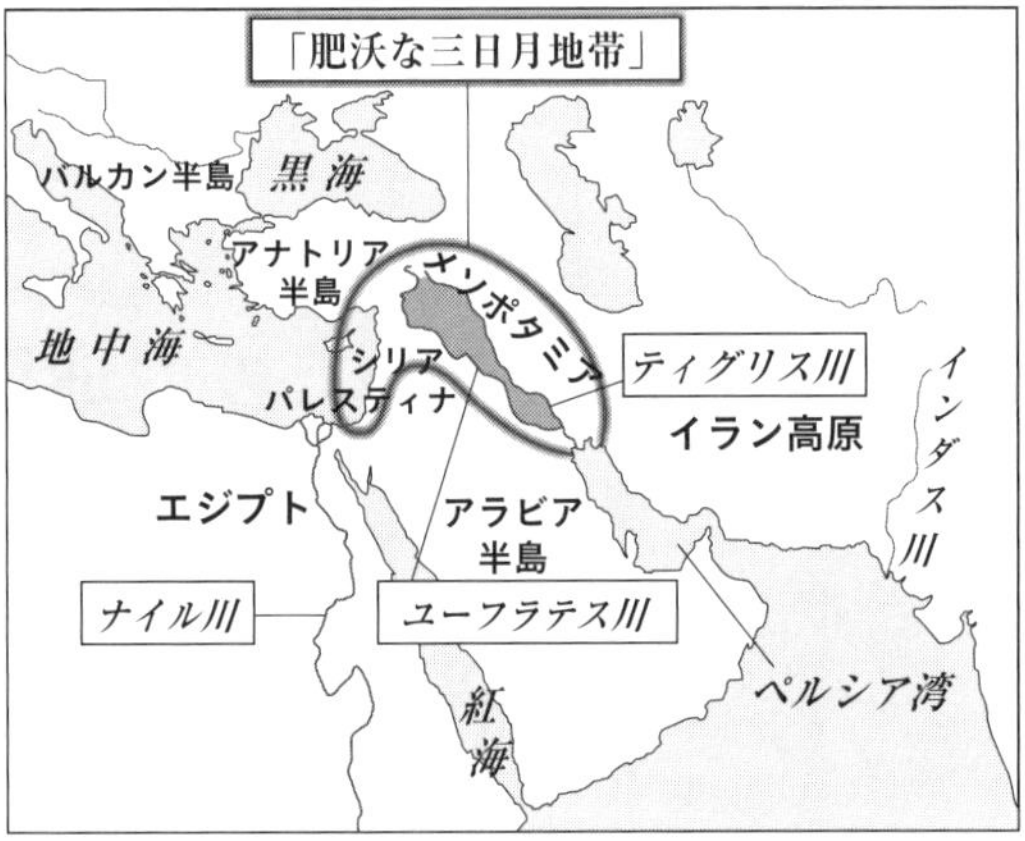

図1　オリエントの地理

古代オリエント

人類が誕生した地はアフリカですが、そのアフリカを出てすぐのスエズ地峡の先に、今日《こんにち》「中東」と呼ばれる地域が広がっています。ここが、人類最古の文明の舞台となります。

この中東は、かつてギリシア人やローマ人から、「オリエント」と呼ばれていました。「オリエント（Orient）」とはラテン語の動詞orior（「上がる、昇る」という意味）を語源とする言葉で、「日の昇る地」、すなわち東方を指します。近代以降のヨーロッパ人は「中東」ないし「西アジア」と呼ぶようになりますが、呼び方が違うだけで、どれもほぼ同じ地域を指す言葉です。

乾燥帯に属するオリエントでは、大河の周辺に人口が集中し、古代文明が栄えます。オリエントにおいて古代文明が栄えたこの地域を、「肥沃な三日月地帯」と呼び、おもに2つの文明が花開きます。ティグリス川とユーフラテス川に挟まれた地（今日のイラク）に根差したメソポタミア文明と、ナイル川の中・下流域に根差したエジプト文明です（図1）。どちらも大河の周辺に多数の村落が築かれ、独自の文化を育んでいくのです。

メソポタミアと諸民族の興隆

メソポタミアでは、こうした村落が集まり、紀元前3000年頃より都市が形成されます。さらに、この都市がひとつの国家としても機能し、これを**都市国家**と呼びます。メソポタミアに最初の都市国家を築いたのは、シュメール人と呼ばれる民族であり、彼らは六十進法や週7日制など、今日の私たちの生活にも影響を与える、高度な文化を擁していました。

次にメソポタミアの主役となったのが、アッカド人です。アッカド人は、紀元前24世紀にシュメール人の都市国家群を征服し、史上初めてメソポタミアを統一しました。またアッカド人は、征服地も含め、地元の住民を徴税者に任命して徴税機構を構築し、**領域国家**として国家体制の整備を進めました。

アッカド人ののち、様々な勢力が割拠する時代を経て、メソポタミアを再統一したのが、バビロン第一王朝（古バビロニア王国）です。その全盛期の君主が、紀元前18世紀前期のハンムラビ王でした。ハンムラビ王といえば、「目には目を」で有名なハンムラビ法典の発布でよく知られています。

このバビロン第一王朝は、紀元前16世紀にアナトリア（今日のトルコ共和国が位置する半島）に割拠したヒッタイト王国の遠征を受け、もろくも滅びます。ヒッタイト人は、記録上最初に鉄器を用いた民族であり、この王国は強大な軍事力にものをいわせ、周辺諸国へ活発に遠征を繰り返します。

エジプトと統一王朝

一方、ナイル川流域の各地にも村落が成立します。エジプトでは都市化は進まず、複数の村落はやがてノモスと呼ばれる単位でまとまって、互いに争うようになります。紀元前3000年頃、これらのノモスが統一され、エジプトに統一王朝が成立します。そしてこれ以降、古代エジプトの統一君主は「ファラオ」と称されるようになります。

様々な民族が行き交うメソポタミアとは異なり、エジプトはナイル川流域の緑地帯から一歩外に出ると、広大な砂漠が東西に広がっています。このため異民族の往来は相対的に少なく、統一王朝が比較的長く存続しました。

最初の統一王朝である古王国（前30〜22世紀）の時代は、ピラミッドが盛んに建設された

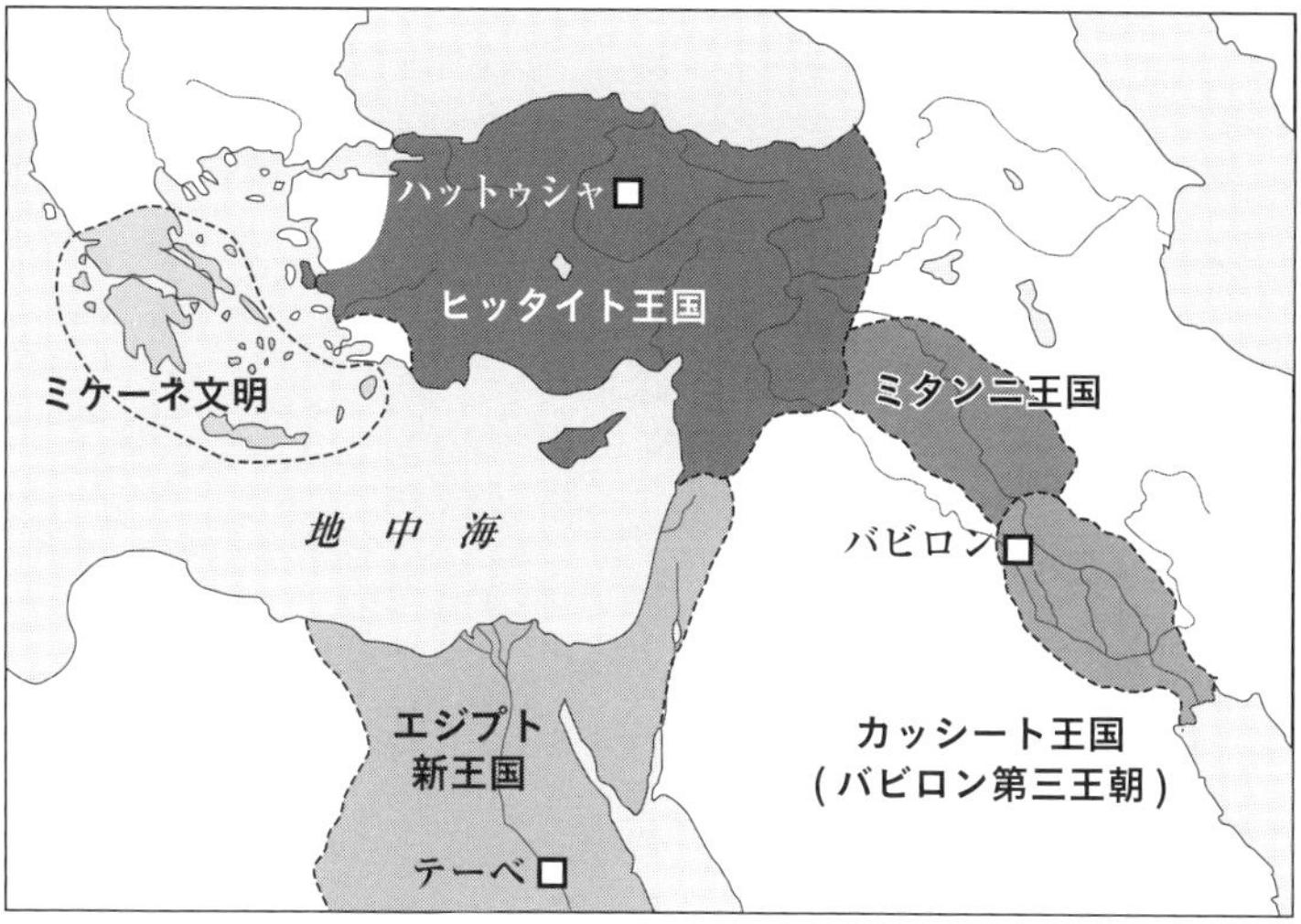

図2　紀元前15～13世紀のオリエント

時期です。続く中王国（前21～17世紀）の末期に、ヒクソスという異民族が侵入し、ナイル川の下流域が200年にわたって支配されるといった例外的な出来事がありましたが、このヒクソスを追い出し、新王国（前17～11世紀）が成立します。

新王国時代には、この時代を代表する2人のファラオがいます。一人は紀元前14世紀のアメンホテプ4世あるいはイクナートン（アクエンアテン）という別名でも知られるファラオで、彼は従来のエジプトの多神教を否定し、**一神教**を創始するという画期的な宗教改革を断行しました。もう一人は紀元前13世紀のラムセス（ラメス）2世（古代エジプト語での即位名はウセルマアトラー＝セテプエンラー）です。ラムセス2世の時代のエジプト新王国は、国力が充実し、積極的な外征に打って出ます。

新王国時代のエジプトは、ヒッタイト王国などと並び、当時のオリエント世界を代表する大国として不動の地位を得るまでになります。しかし、紀元前1200年を境に、エジプトの衰退が始まります。また、ヒッタイト王国やギリシアのミケーネ文明など、大国を含む近隣の諸勢力も、まったく同じ時期に衰退あるいは壊滅しました。その原因は、いまだはっきりとは解明されていません。ともあれこうしてオリエントでは、大国がひしめいたひとつの時代が終わりを告げたのです（図2）。

商業民族の台頭とヘブライ人の栄華

オリエントの各地、メソポタミアやエジプトにアナトリアといった地域に領域国家が割拠するようになると、これらの国家を仲介する**商業民族**が台頭することになります。その商業民族の代表が、フェニキア人とアラム人です。

フェニキア人は海上貿易で活躍し、地中海貿易をほぼ独占するまでに至ります。こうした商業活動の途上で、拠点となる植民市を地中海各地に築きました。なかでも有名なのが、北アフリカのカルタゴです。また、フェニキア人の発明したフェニキア文字は、のちにギリシア人にも伝わり、今日のアルファベットの起源にもなります。

アラム人は陸上貿易で活躍し、彼らの言語であるアラム語は、オリエントの国際共通語となり、生前のイエスもこのアラム語の話者であったとされます。このアラム人が商業の拠点として建設したのが、現在はシリアの首都となっているダマスクスです。

また紀元前1200年に、オリエントの大国が一斉に衰退ないし滅亡したことで、パレスティナ地方に強大な支配者がいなくなり、権力の真空が生じます。こうした状況で隆盛をみたのが、ヘブライ人（別名をユダヤ人）のイスラエル王国でした。『旧約聖書』の伝承によれば、ダヴィデ王やソロモン王といった名君の登場もあり、統一イスラエル王国はヘブライ人の歴史上で最高の輝きを放ちます。しかし、これ以降のユダヤ人には苦難が待ち構えています。そうした苦難を何度も経験したことで、**ユダヤ教**という宗教が確立していくことになります。

オリエント世界の統一——アッシリアとアケメネス朝

紀元前1200年を機に、エジプトやヒッタイトといった大国が軒並み衰亡したなか、この厄災をかろうじて免れた国がありました。それがアッシリアです。

メソポタミア北部を本来の拠点としたアッシリアは、紀元前8世紀にメソポタミアやシリアといったオリエントの大半を征服し、紀元前7世紀にはエジプトも征服して、史上初となるオリエント世界の統一に成功します。アッシリアのように、広大な地域を征服し、様々な民族を服属させながら、安定した支配を保った強国を「**世界帝国**」と呼びます。

アッシリアは全国を州（属州）に分割し、それぞれの州に総督を中央から派遣して統治させました。また、全国に駅伝制を敷き、**交通網**も整えます。しかし、全盛期の君主アッシュールバニパル王（位：前668～627）の治世が過ぎると、属州の総督や従属民の反乱が相次ぎ、オリエントを統一してから70年ほどで、アッシリアは滅亡します。

アッシリアの滅亡後、オリエント世界は再び大国が割拠する時代となります。リディア王国、メディア王国、新バビロニア王国、エジプト第26王朝の4国が鎬《しのぎ》を削りましたが、これらはいずれもオリエントを統一する勢力にはなりませんでした。代わって勃興したのが、イラン南西部を拠点とするアケメネス朝（ハカーマニシュ朝）ペルシアです。

もともとメディア王国の属国であったアケメネス朝は、紀元前6世紀半ばに君主キュロス2世（位：前559～530）が独立を達成します。キュロス2世はかつての支配者であったメディア、さらにリディア、新バビロニアを滅ぼし、オリエントの大半を征服します。次代のカンビュセス2世（位：前529～522）はエジプトを征服し、アケメネス朝はアッシリアに続く史上2番目となるオリエント世界の統一に成功します。

カンビュセス2世の死に際して王位継承をめぐる内乱が生じましたが、これを収拾したのが、アケメネス朝の全盛期を築くダレイオス1世（位：前522～486）です。ダレイ

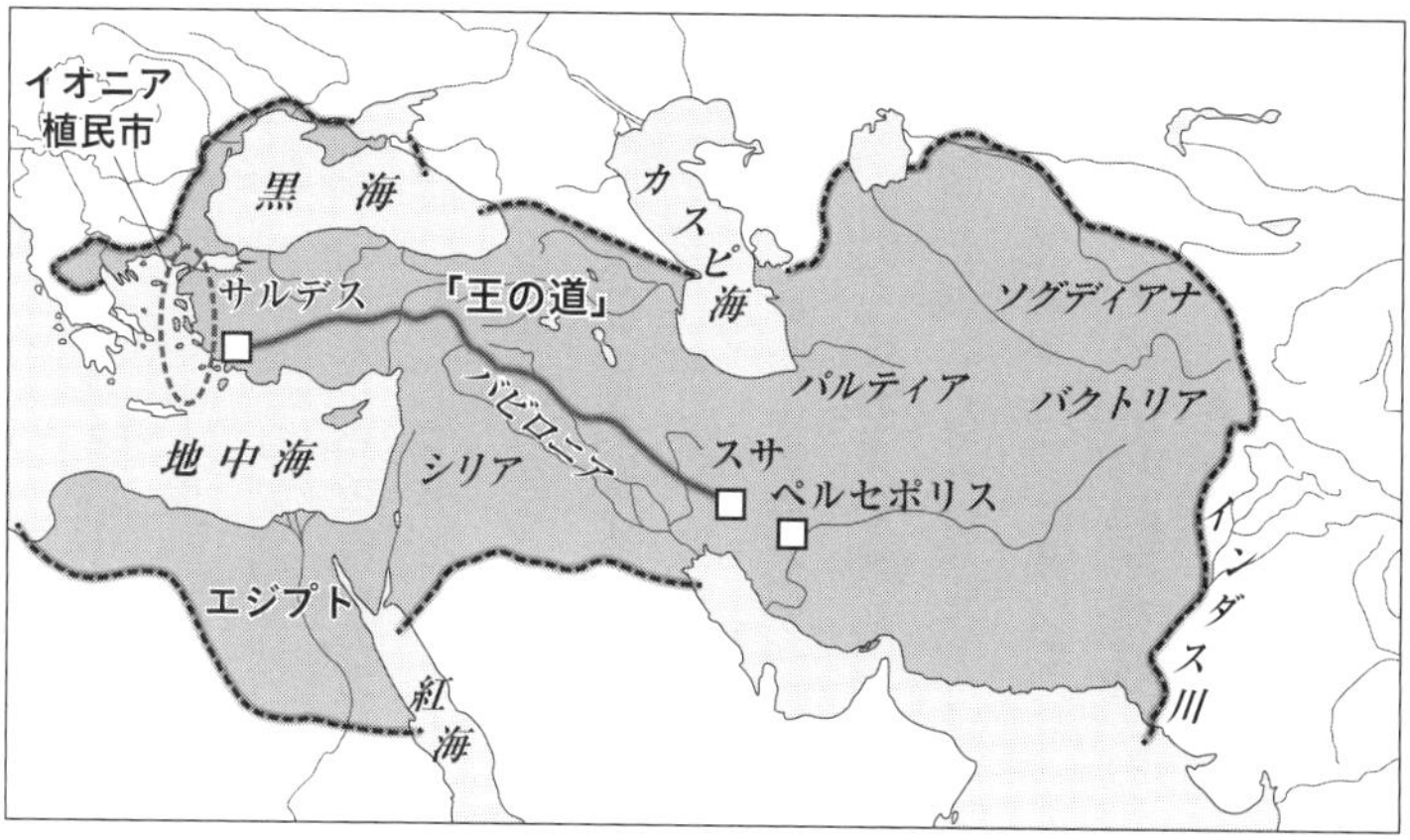

図3　アケメネス朝の最大領域（紀元前5世紀）

オス1世はアッシリアに倣《なら》って全国を州に分割し、各州にサトラップ（知事）を任命して地方統治を委ねます。一方で、「王の目」や「王の耳」という行政官に、サトラップを監視させました。さらに、「王の道」と呼ばれる、全長２７００kmにも及ぶ**幹線道路も整備**します（図3）。このダレイオス1世の施策により、アケメネス朝の統治体制が完成したのです。

　このアケメネス朝を滅ぼしたのは、ギリシア系のマケドニアという国家でした。では次にヨーロッパ世界の古代文明である、ギリシアとローマについて見ていきましょう。

古代ギリシア世界

　ギリシアはヨーロッパ南部、バルカン半島の南端に位置する地域です。ギリシアの土地は概してやせており、平地の割合も少ないです。また年間を通して温暖ですが、（とくに夏場は）降水量が少ないという地中海性気候です。このため、穀物の栽培にあまり適さず、一方でオリーヴやブドウといった果樹栽培が、古代より盛んでした。

そこで古代のギリシア人は、穀物の不足を他地域との交易でまかなうようになります。古代のギリシア人は海上貿易に従事する**商業民族**であり、ギリシアに面する地中海、なかでもその一部であるエーゲ海の存在はとりわけ重要だったのです。

クレタ文明とミケーネ文明

ギリシア最古の青銅器文明は、エーゲ海南部に浮かぶクレタ島で栄えたクレタ（ミノア）文明でした。このクレタ文明は、紀元前１４００年頃、ギリシア本土にミケーネ（ミュケナイ）文明を築いたアカイア人により滅ぼされます。

クレタ文明やミケーネ文明の人々は、エーゲ海を中心に海上貿易を生業としました。ミケーネの場合、この「貿易」は時として略奪あるいは海賊行為をともなう軍事遠征になることもありました。こうした遠征（略奪）の一例が、アナトリア北西のトロイア（ウィルサ）に対するものであり、のちのギリシア神話におけるトロイア戦争のモティーフとなりました。

このミケーネ文明の諸王国は、ヒッタイトやエジプトといったオリエントの大国とも盛んに交易しましたが、紀元前1200年に、ヒッタイトなどと同じく突如として壊滅します。これにより、アカイア人やそれ以外のギリシア人たちも次々と移動を開始し、この混乱の時代を暗黒時代、あるいは近年は初期鉄器時代と呼んでいます。後者の呼び方にあるように、この時期にヒッタイトが崩壊したことで鉄器の技術がギリシアにも普及し、またギリシア人たちは次第に方言ごとのグループに分かれて、紀元前800年頃までにギリシア各地で定住が進みました。

ポリスの成立とペルシア戦争

暗黒時代が終焉を迎えると、ギリシア人たちの定住はほぼ完了します。各地に成立したギリシア人の村落は、有力な貴族が指導者となって近隣の村落と連合を組み（集住あるいはシュノイキスモスといいます）、**都市国家**を形成するようになります。こうした都市国家をポリスと呼び、アテネ（アテナイ）、スパルタ、テーバイ（テーベ）、コリントス（コリント）といったポリスがよく知られています。

ポリス期のギリシア人も、地中海各地に活発に商業圏を広げ、フェニキア人のように地中海各地に植民市を建設します。そうした植民市には、マッサリア（現マルセイユ）、ネアポリス（現ナポリ）、ビュザンティオン（現イスタンブル）など、現代の都市の起源となったところも少なくありません。

　ギリシア人にとっては、地中海という商業圏においてフェニキア人が競争相手であり、当時フェニキア人は、オリエントの世界帝国であるアケメネス朝の保護下にありました。アケメネス朝は、フェニキア人への支援として、手始めにアケメネス朝の領土にあるギリシア人の居住地（イオニア植民市）に圧力をかけます。これに反発した現地のギリシア人は反乱を起こし、さらにこの反乱をアテネなどギリシア本土のポリスが支援します。

　反乱そのものはすぐに鎮圧されましたが、アケメネス朝は反乱を支援したギリシア全土の征服を目論み、遠征に着手します。ここに、アケメネス朝とギリシアのポリス群によるペルシア戦争が開戦したのです（前５００〜４４９）。３度にわたり遠征軍を派遣したアケメネス朝でしたが、結果はいずれも敗北に終わります。その原因は、ギリシア人の民族意識にありました。ギリシア人は統一国家を持たないものの、同じギリシア人としての帰属意識・民族意識が高く、こと外敵との戦いではその精神が真価を発揮したのです。

ペロポネソス戦争と内戦の時代

　このペルシア戦争でとりわけ活躍が顕著だったポリスが、アテネでした。戦後のアテネは、まさにギリシアの覇者となりますが、一方でアテネは次第に他のポリスに対し高圧的な態度に出るようになり、諸ポリスの反感を買います。

このためスパルタがアテネに対抗心をあらわにして立ちはだかるようになり、ついに紀元前431年、両者は激突します。これがペロポネソス戦争です。ギリシアを二分したペロポネソス戦争では、27年間の戦いの末に、アテネがスパルタに屈して敗北します。スパルタはギリシアの覇権を手にしましたが、この覇権は30年も経たないうちにテーバイに取って代わられ、テーバイの覇権もまた、10年もしないうちに凋落します。

ペロポネソス戦争以後、ギリシアでは恒常的にポリス同士が争う戦乱の時代を迎えました。その背後には、あのアケメネス朝があります。アケメネス朝は、ペロポネソス戦争ではスパルタを、その後はテーバイを、さらにテーバイが台頭すると今度はアテネを、といった具合に次々と資金援助の相手を替え、ギリシアを泥沼の内戦に引き込んでいったのです。

この長きにわたる戦乱で、諸ポリスが衰退すると、今までうだつが上がらなかったギリシアの周辺勢力が、にわかに台頭を始めます。そうした勢力のひとつが、ギリシアの北方に位置するマケドニア王国でした。

アレクサンドロス大王とヘレニズム時代の到来

マケドニア王国は、国王フィリッポス2世（位：前359～336）のもとで強国に成

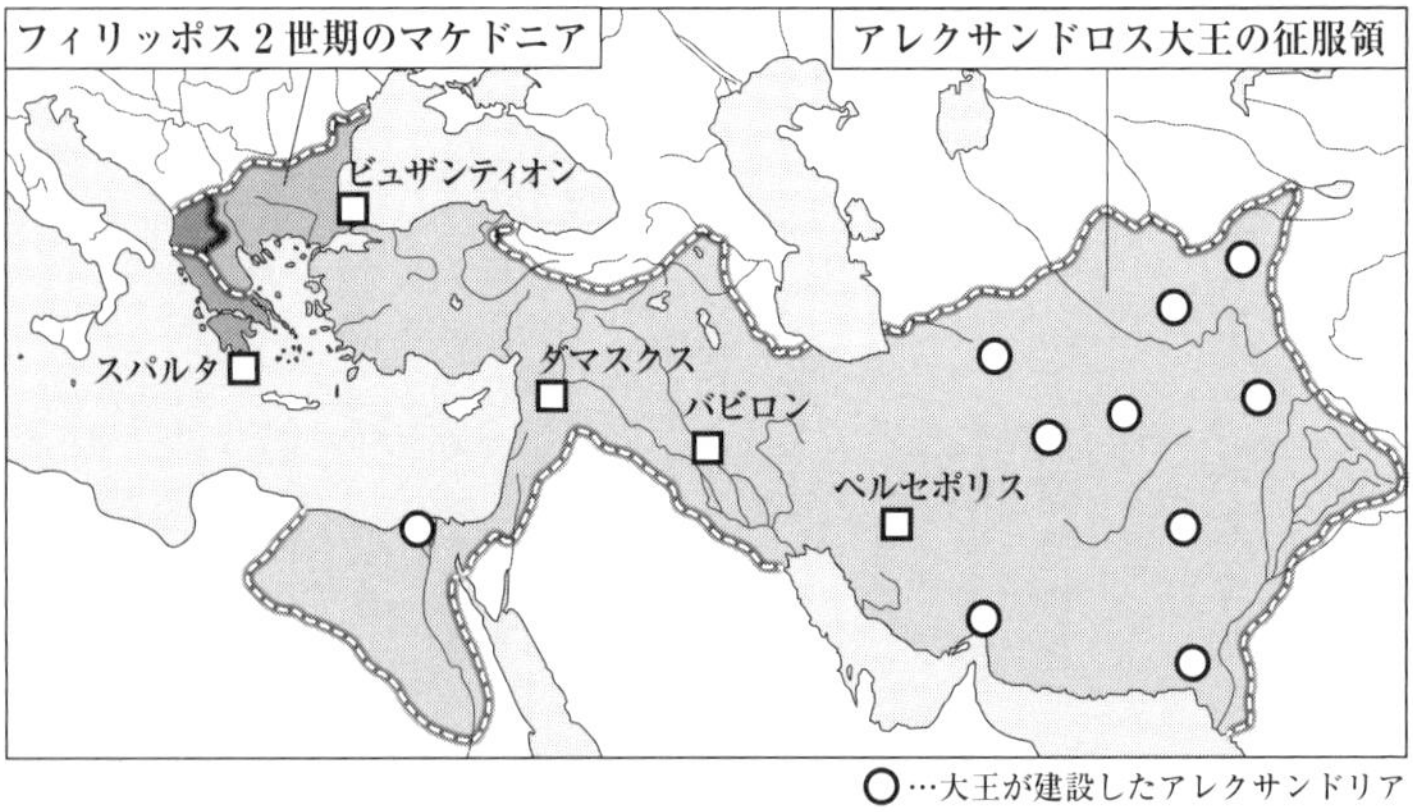

図4　アレクサンドロス帝国（紀元前325年頃）

長します。フィリッポス2世は、紀元前338年にカイロネイアの戦いでアテネ・テーバイ連合軍に勝利し、翌年にスパルタを除くギリシアの全ポリスを参加させコリントス同盟を結成します。ここに、マケドニアがギリシアの統一を成し遂げたのです。

しかし、ギリシアを内戦に引き込んだアケメネス朝を倒さないことには、マケドニアの覇権も危ういままです。フィリッポス2世はアケメネス朝打倒を最終目標に、大規模な遠征の準備を進めます。

その遠征出発の直前、フィリッポス2世は部下の凶刃に倒れます。ですが、フィリッポス2世の息子アレクサンドロス3世、通称アレクサンドロス大王（位：前336〜323）がただちに王位を継ぎ、遠征も引き継ぎます。アレクサンドロス大王は東征を開始すると、各地で連戦連勝を重ね、ついには前330年に大国アケメネス朝を滅亡に追いやります。またオリエントだけに飽き足らず、インダス川を越えて北インドにも侵入し、勝利を重ねます。ここで大王は兵士の懇願で帰還を決意しましたが、その途上のバビロンで病に倒れ、そのまま帰らぬ人となります。たった一代にして、ヨーロッパからアジアにまたがる大帝国を、大王は築いたのです（図4）。

しかし大王の没後、有力武将たちが、大王のディアドコイ（「後継者」の意）を名乗り、帝国の支配をめぐって内戦が始まります。結果、アレクサンドロス帝国は、このディアドコイたちにより三分されてしまいます。

アレクサンドロス大王の真の遺産は、オリエント文化とギリシア文化の融合です。大王は、遠征で征服した各地に、自分の名にちなんだ都市アレクサンドリアを数多く建設しました。この各地のアレクサンドリアに、ギリシア人たちが入植し、これによりアレクサンドリアのギリシア文化と、現地のオリエント文化の融合が始まったのです。この**融合文化**はヘレニズム文化と呼ばれ、ユーラシア各地に後世まで多大な影響を与えました。

ヘレニズム文化はアレクサンドロス大王の死後も、長きにわたりユーラシアの**普遍文化**として息づきました。しかし、大王の後継国家は、紀元前30年までにその多くが、ローマという新興国によって征服されたのです。

古代ローマの勃興――「ローマは一日にして成らず」

紀元前8世紀頃に、古イタリア人の一派であるラテン人が、イタリア中部のティベル川（テヴェレ川）の下流に都市国家ローマを建設します。建国まもないローマは、一時エトルリア人という異民族の支配を受けましたが、紀元前509年にその支配を脱し、これ以降は王を据えない共和政国家となりました。

ローマでは一口に市民といっても、貴族と平民という2つの身分があり（これはギリシアのポリスも同様です）、貴族が政治の中核を担っていました。なかでも、高級政務官を歴任した貴族たちからなる元老院が、共和政ローマの事実上の最高意志決定機関でした。

前287年には、貴族と平民の法的権利は同等となりましたが、平民たちは、参政権の見返りに、自ら武装して戦うことが要求されました。古代ギリシアもそうですが、ローマでは**市民が重装歩兵となって、軍役の主力**となったのです。こうして平民の兵力を吸収したローマは、近隣諸勢力と戦争を繰り返し、ついに紀元前272年にはイタリア半島の統一に成功します。

ポエニ戦争と市民社会の変容

イタリア半島を統一したローマが、次の目標としたのが、地中海の中央に位置するシチリア島でした。イタリア半島はギリシアよりも平地の割合が多いとはいえ、農業に適しているとはいい難い地域です。シチリア島は古代より穀倉地帯として知られ、ローマにとっては垂涎《すいえん》の的《まと》。しかし、シチリア島を挟んでイタリア半島の対岸、北アフリカのカルタゴも、かねてからこの島を窺《うかが》っていました。ここに、ローマとカルタゴがシチリア島をめぐって戦端を開きます。ポエニ戦争（前264〜146）の開戦です。

全3回にわたるポエニ戦争で、最終的にローマは、カルタゴという国家そのものを滅亡させ、地中海の大国として一躍脚光を浴びます。他方、これにより国内では深刻な社会変化が生じました。

ローマは外征の長期化により、市民、なかでも中小農民の没落が進みます。遠征が長引くと農業に従事できず、土地が荒廃するためです。中小農民の没落をよそに、元老院議員などの支配階層は、属州（イタリア半島外の領土）総督を歴任し、莫大な財産を築きます。

財を成した元老院議員らは、中小農民が放棄した土地を買い叩いて広大な農園を経営し、これらの農園では奴隷が大量に使役されます。この大土地所有制に奴隷制が組み合わされた土地経営を、ラティフンディアといいます。ラティフンディアを経営する支配階層はより富を集め、土地が荒廃した中小農民は、次々と無産市民となってローマに集まることで貧富の格差が拡大し、市民平等の原則は完全に崩壊します。

「内乱の一世紀」と帝政の開始

この状況を打開せんと立ち上がったのが、紀元前2世紀に護民官という役職を歴任したグラックス兄弟でした。しかし、既得権益を脅かされることになる支配階層は、こぞってグラックス兄弟の改革に反対します。グラックス兄弟の改革は頓挫しましたが、元老院における党派対立が激化し、さらに同盟国や外敵がローマに次々と牙をむきます。ローマはまさに内憂外患、危機的な時代を迎えます。この混乱は約100年にわたって続いたため、「内乱の一世紀」と呼ばれます。

この混乱を収拾しようと、3人の人物が立ち上がります。クラッスス（前115～53）、ポンペイウス（前106～48）、そしてカエサル（前100～44）です。この3者による政治同盟は、第一回三頭政治として知られ、これによりローマは一時的に政情が安定します。

このうちカエサルは他の2人と異なり政治基盤が弱かったのですが、ガリア（現フランスにあたる地域）を8年がかりで征服し、一躍時の人となります。これに焦ったクラッススが東方に遠征して敗死すると、残されたポンペイウスは元老院と結んでカエサルの排除を図ります。しかし、カエサルは自軍を率いてローマに入城し、さらにポンペイウスをギリシア北部で追い詰め、ローマの最高権力者となります。しかし、カエサルの独裁に反発する共和派の元老院議員たちにより、カエサルは暗殺されます。

カエサルは民衆からの人気が高かったため、ローマでは民衆の暴動寸前の事態に至ります。そこで元老院は、カエサル派の3人の人物、カエサルの養子オクタウィアヌス（前63～後14）、カエサルの右腕であった将軍アントニウス（前83～30）、そしてカエサルの幕僚であったレピドゥス（前90～13頃）を選び出し、前回と同じく三頭政治をさせて事態の鎮静化を図ります。

この第二回三頭政治では、カエサルの仇を討つとすぐに内部抗争を繰り広げ、その最終勝者となったのがオクタウィアヌスでした。オクタウィアヌスによりエジプトもローマの支配下に置かれ、地中海世界はほぼ統一されます。こうして、紀元前27年、元老院はオクタウィアヌスに「アウグストゥス」（「尊厳なる者」の意）の称号を授けます。これを機に共和政ローマに君主が出現し、帝政が始まったものと見なされます。

ただしこの「アウグストゥス」という称号は、この時点ではあくまでもオクタウィアヌスという私人に与えられた単なる個人名であり、政治的な地位や権限などは一切ありませんでした。したがって、「アウグストゥスの称号を授かり皇帝に即位した」あるいは「アウグストゥスの称号により帝政が始まった」という解釈は、いわば俗説に過ぎず明らかに誤りといえます。とはいえオクタウィアヌスは、表面上は共和政を維持するように働きかけながら、すでに三頭政治の頃から着実に実権を掌握していき、事実上の君主となったことは間違いありません。

いずれにせよ、オクタウィアヌス（ここからはアウグストゥス帝と呼びます）は、実態は単独の支配者でありながら、共和政の機構を維持し、市民や元老院議員の懐柔に臨みます。こうした君主政の在り方を、元首政（プリンキパトゥス）と呼びます。

パクス＝ロマーナと東西交流の活性化

アウグストゥス帝の治世までに、ローマは地中海世界のほぼ全域を統一し、安定した支配を実現しました。アウグストゥスの治世から約200年の間、ローマ帝国ひいては地中海世界全体が空前の繁栄を謳歌します。この時期を「パクス＝ロマーナ（ローマの平和）」といいます。

なかでも96〜180年は、5人の優れた皇帝――ネルウァ帝（位：96〜98）、トラヤヌス帝（位：98〜117）、ハドリアヌス帝（位：117〜138）、アントニヌス＝ピウス帝（位：138〜161）、マルクス＝アウレリウス＝アントニヌス帝（位：161〜180）――が相次いで即位したため「五賢帝時代」と呼ばれます。

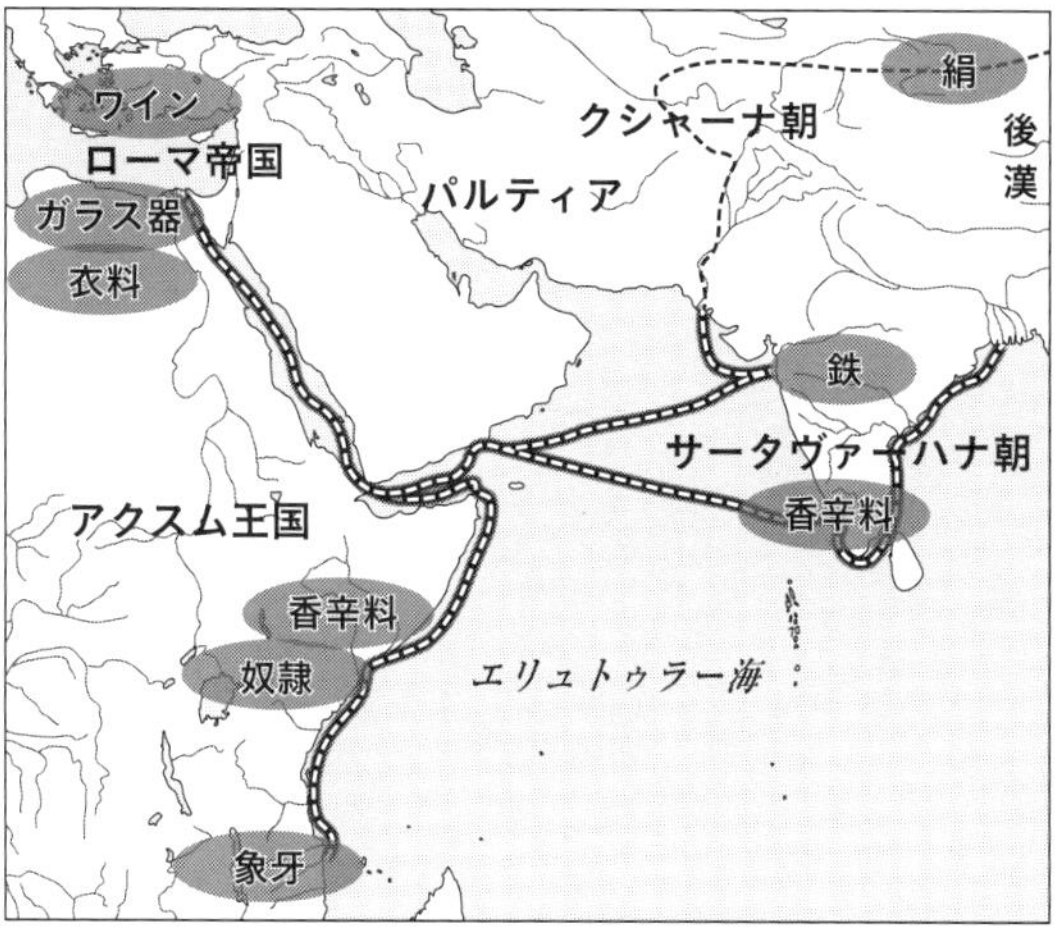

図5　『エリュトゥラー海案内記』における交易ルートと特産品（1世紀）

このパクス＝ロマーナの到来は、国際交流も活性化させることになりました。ローマ帝国が繁栄した紀元後2世紀という時代は、イランのパルティア、北インドのクシャーナ朝、東アジアの後漢《ごかん》といった、世界帝国や大国が並び立った時代であり、大国が広域を支配することで治安が安定し、商取引を中心に東西交流が盛んになったのです。

ローマは陸路で北インドのクシャーナ朝と、インド洋ではエジプトのギリシア商人たちが、季節風を利用してアラビア半島やアフリカ東岸、そして南インドのサータヴァーハナ朝を訪れ、季節風貿易が活況を呈しました。後漢の貴族の墓からはローマのガラス瓶も発掘されており、ここからローマ帝国と後漢は、直接ではないにしろ、何らかの通商関係を持っていたと考えることができます（P.13

9を参照)。

季節風を利用したインド洋貿易に関しては、ローマ帝国のギリシア商人が『エリュトゥラー海案内記』という航海書に詳細な記述を残しています。人類は2000年近く前から、大陸をまたいだ東西交流を続けてきたのです(図5)。

専制君主政とローマ帝国の崩壊

五賢帝時代が終わると、ローマ帝国の繁栄にも陰りが生じます。3世紀に入ると、国内では各地の軍団が擁立した皇帝が帝位をめぐって争う「軍人皇帝時代」に突入し、国外ではササン朝やゲルマン人といった強大な外敵が、こぞってローマ帝国を圧迫します。この内外の危機的状況を合わせて、「3世紀の危機」といいます。

この混乱に終止符を打ったのが、最後の軍人皇帝であったディオクレティアヌス帝(位:284~305)でした。ディオクレティアヌス帝は、まず皇帝権の強化策として、自身の神格化と礼拝を強制し、専制君主としての体制を構築しました。これにより元首政は終わりを告げ、これ以降の政体は「専制君主政(ドミナトゥス)」と呼ばれます。また、ディオクレティアヌス帝は、広大なローマ帝国を単一の個人で統治するのは難しいと判断し、帝国を4分割し、さらに3人の皇帝(正帝・副帝という序列も付けます)を任命して分担統治をさせます。

ディオクレティアヌス帝の一連の政策により、ローマ帝国は安定を取り戻しました。しかし彼が引退するや、後を継いだ4人の皇帝が仲たがいを始め、帝国は完全に分断されてしまいます。そうしたなか、帝国の再統一に成功したのがコンスタンティヌス帝（位：306～337）でした。コンスタンティヌス帝は、帝国全土を統治する膨大な規模の官僚制を整備し、**中央集権化**を進めます。また、当時帝国に広く浸透したキリスト教を公認し、さらに公会議（宗教会議）を主宰して教義の統一を図るなど、キリスト教を利用して皇帝権の正当化・確立に努めました。

しかし、帝国の衰退は止まりません。コンスタンティヌス帝の死後30年ほどすると、アジア系の遊牧民であるフン人がヨーロッパに進出し、このフン人の圧迫を受け、ゲルマン人の大移動が始まります。帝国各地に外民族が侵入する混乱のさなか、テオドシウス帝（位：379～395）は、自身の死に際して、ローマ帝国を東西に分割し、2人の息子に分け与えることにしました。

こうしてローマ帝国は395年に東西に分裂し、西ローマ帝国は476年にゲルマン人傭兵隊長のオドアケルにより滅亡してしまいます。東ローマ帝国（ビザンツ帝国）は15世紀まで命脈を保ちますが、6世紀以後に地中海世界の再統一が果たされることはついになかったのです。ローマ帝国の崩壊をもって、地中海世界における古代という時代は幕を閉じます。

中国の地勢

中国は黄河と長江という2つの大河に代表される地域です。黄河を中心とする北部を「華北」、長江を中心とする南部を「華南」と呼びますが、華北が気候区分でいうと冷帯に近い（北京と秋田市は同じ緯度）のに対し、華南は亜熱帯（華南北部の南京が鹿児島県とほぼ同緯度）に近いなど、南北で気候にかなり開きがあるといえます。

寒冷な華北では小麦やアワ、ヒエといった雑穀を主食とし、温暖な華南は米が主食となりました（イネの原産地ともされます）。中国では先に華北で最初の王朝が成立し、華北は政治の中心として、一方の華南は経済の中心としてそれぞれの道を歩みます。

中国文明と初期王朝

中国では黄河と長江のそれぞれに、古代文明がほぼ同時期に発生します。華北の黄河文明は、非常に完成度の高い土器を特徴とし、一方、華南の長江文明は、世界最古の稲作の痕跡や独特の青銅器の出土で知られます。

華北では黄河文明の後期より、同様に近隣の集落が集まって邑《ゆう》と呼ばれる**都市国家**が各地で成立します。この邑同士が抗争などを経て次第に大規模な邑のもとに統率され、都市国家の連合体が成立します。これが初期王朝と呼ばれるものです。最古とされる夏《か》（前2070頃～1600頃）、殷《いん》（前16～11世紀）、周（前11世紀～770）の3つの王朝がこれに相当します。

殷では祭政一致、すなわち卜占《ぼくせん》が政策決定の決め手となり、周では礼制度が国家統治の基盤とされました。しかし、周王朝では次第に地方の領主（＝諸侯）の自立が進み、紀元前770年に周王室で生じた内紛により、諸侯が周王に代わって天下をめぐり抗争を始めます。これが春秋・戦国時代（前770～221）です。

統一王朝の時代――秦・漢

中国では戦国時代より次第に邑という都市国家が解体し、徐々に**領域国家**としての支配体制が整備されます。そうした諸侯国のなかで、大国に躍り出たのが秦《しん》（前8世紀～206）です。紀元前247年に即位した秦王政《せい》（～前210）は、中国の統一戦争に取り掛かり、およそ15年がかりで中国の統一に成功します。秦王政はこれをもって「皇帝」という称号を採用し、以後この称号は中国の歴代君主に継承されます。これ以降は秦王政を、始皇帝と呼びます。

始皇帝は全国に秦の郡県制を敷き、今までバラバラであった度量衡《どりょうこう》などの単位や貨幣を統一するなど、統一政策を進めました。しかし、一方では万里の長城の建設など大規模な土木工事を課し、さらに厳しい法で統治したため、民衆の不満が瞬く間に頂点に達します。始皇帝が没すると、陳勝《ちんしょう》・呉広《ごこう》の乱という農民反乱を機に、各地で反乱が相次ぎ、秦はわずか15年しかその統一を維持できずに滅びることになりました。秦の滅亡後、様々な地方勢力を破って中国の再統一を成し遂げたのが、農民出身の劉邦《りゅうほう》でした。劉邦は漢《かん》という王朝を興し、その初代皇帝に即位して高祖（位：前202〜195）と呼ばれました。

漢に全盛期をもたらしたのは、7代皇帝の武帝（位：前141〜87）でした。武帝は東西南北に積極的な外征を仕掛け、漢の最大領土を実現します。また、この一連の外征で、「西域」と呼ばれた、タリム盆地のオアシス都市群を支配下に置いたことで、漢はシルクロード貿易に参入することになりました。

しかし武帝の外征により漢の財政は逼迫し、彼の没後は皇帝に代わって宦官《かんがん》（去勢された男性の官吏）や外戚《がいせき》（皇帝の妃の一族）が実権を握るようになり、ついに外戚の王莽《おうもう》によって漢は一時滅亡します。とはいえ、まもなく漢の帝室の一員であった劉秀《りゅうしゅう》によって漢王朝は復活し、彼は光武帝（位：25〜57）として即位します。これ以降を「後漢《ごかん》」といい、それ以前の高祖に始まる王朝は「前漢《ぜんかん》」と呼んで区別します。

後漢では豪族と呼ばれた地方の実力者の勢力が強大であり、政策は事実上この豪族たちの合議で決められ、皇帝の権力は極めて脆弱でした。このため後漢では、宮廷内での党派争いが日増しに激しくなり、ひいては地方統治に至るまで、その支配が乱れることになります。184年に黄巾《こうきん》の乱という大規模な農民反乱が起こると、後漢の皇帝権力は完全に失墜し、各地の豪族たちが私兵を率いて争う群雄割拠の時代となります。220年に曹丕《そうひ》（曹操の長子）が魏《ぎ》の初代皇帝に即位したことで、後漢は滅亡します。

魏晋南北朝時代と隋・唐

3世紀頃からローマ帝国や後漢が混乱に陥ったことは、ユーラシア規模で様々な変化をもたらしました。ローマとの貿易が振るわなくなったインドのクシャーナ朝やサータヴァーハナ朝はともに衰退を始め、またローマと後漢の中継貿易で栄えた東南アジアの扶南《ふなん》という国家も、通商の停滞により弱体化し、北方の真臘《しんろう》によって征服されます。こうしたなかで、新たな国際秩序が構築されようとしていました。

後漢が220年に滅ぶと、中国では魏・蜀《しょく》・呉《ご》の三国が統一を争う三国時代が始まります（220〜280）。しかし三国時代は、この後も続く長い分断の時代の序章に過ぎませんでした。三国時代を制したのは晋《しん》（西晋、265〜316）ですが、内乱をきっかけに「五胡《ごこ》」と総称された異民族（羯《けつ》、匈奴《きょうど》、鮮卑《せんぴ》、羌《きょう》、氐《てい》）の侵入が相次ぎます。そのため西晋は中国統一後わずか30年ほどで滅び、中国には五胡十六国時代（304〜439）という混乱の時代が訪れます。五胡と称された異民族は、いずれも華北に国家を打ち立てて抗争に明け暮れましたが、439年に鮮卑族が建国した北魏が華北を統一します。

一方、華南では、晋王朝が建康《けんこう》（現在の南京）を都に東晋（317〜420）として再興され、続いて宋《そう》（420〜479）、斉《せい》（479〜502）、梁《りょう》（502〜557）、陳《ちん》（557〜589）と漢民族の王朝が相次ぎます。華北の鮮卑系の王朝は「北朝」、華南の漢民族王朝は「南朝」とそれぞれ称され、この時代を南北朝時代（439〜589）といいます。

なかでも南朝は、北朝に対抗すべく長江下流域の開発を進めました。これを江南《こうなん》開発といいます。この江南開発の結果、華南は中国の穀倉地帯（経済の中心）として大発展を遂げます。この三国時代、五胡十六国時代、南北朝時代を合わせた分断の時代を「魏晋南北朝時代」と総称します。

また、この魏晋南北朝時代には、豪族たちがさらにその勢力を増すことになります。彼らは魏の時代から高級官職を独占し、さらにそれを世襲、つまり自分の役職を子や孫へ伝えるようになります。こうして豪族たちは、次第に門閥《もんばつ》貴族と呼ばれる社会層を形成します。中国史で「貴族」といえば、基本的にはこの門閥貴族を指します。門閥貴族たちは高級官職や朝廷の人事権を一手に握り、皇帝をしのぐ権限を有しました。この門閥貴族たちが、唐の時代までの中国における政治や文化の中心となります。

この魏晋南北朝の分断を終わらせたのが、隋《ずい》でした。その建国者である文帝（位：581

〜604）は589年に、実に370年ぶりに中国の統一に成功し、その子である煬帝《ようだい》（位：604〜618）は南北の中国をつなぐ大運河を完成させます。この大運河は、中国の物流の中心として極めて重要な役割を果たします。しかし煬帝は大運河などの大規模な土木工事や、高句麗《こうくり》への遠征の失敗により国力の疲弊を早め、ついに隋は滅亡します。

隋の滅亡後に中国は再び分断の時代を迎えますが、まもなくこの中国を再統一したのが唐《とう》（618〜907）でした。唐の2代皇帝の太宗《たいそう》（位：626〜649）は、中央政府や土地制度・税制度などの整備を進め、その統治は「貞観《じょうがん》の治」と呼ばれ後世に理想とされました。しかしこの唐の国制の多くは、南北朝時代や隋の制度を継承したものが多く、唐は北魏といった鮮卑系国家の後継ともいえます。

さらに太宗・高宗（位：649〜683）は積極的な外征により、東アジアのみならずモンゴル高原や中央アジアに勢力を広げ世界帝国として発展を遂げます。こうしてシルクロードやマリンロードなどを介して東西交流が活性化し、唐代の中国は様々な外国人が訪れ、国際的な文化が開花しました。

しかし8世紀より唐の勢力が後退すると、節度使《せつどし》と呼ばれた軍司令官が辺境に設置され、節度使であった安禄山《あんろくざん》と史思明《ししめい》の2人が安史の乱（755〜763）という大規模な反乱を起こします。これにより唐の権威は失墜し、節度使は地方で半独立勢力となって、藩鎮《はんちん》と呼ばれるようになります。唐王朝はなおも150年近く命脈を保ちますが、875年の農民反乱である黄巣《こうそう》の乱で衰退が決定的となり、９０７年に滅亡します。

第1部
世界史を俯瞰するための通史

第2章 中世

中世ヨーロッパの幕開け

３９５年、ローマ帝国が東西に分裂し、さらに４７６年には西ローマ帝国が滅亡します。これと前後して、ゲルマン人の諸部族がローマ帝国の各地で移住を繰り広げ（ゲルマン人の大移動）、おもに旧西ローマ領の各地に独自の王国を建国します。この大移動の開始（３７５年）をもって、**中世という時代**が始まったと見なされることが多いです。しかし、これらの王国は、いずれも短命であり、ゲルマン諸王国は国家統治に苦心します。

例外だったのが、フランク人の建国したフランク王国です。フランク王国は初代のクローヴィス王（位：４８１〜５１１）が４９６年に**アタナシウス派のキリスト教に改宗**し、自国の多数派であるローマ系住民の支持を得ました。これによりフランク王国は、他のゲルマン諸王国と比較して国家整備が進み、頭角を現していきます。しかしクローヴィス王の没後、フランク王国は部族の伝統である分割相続により、しばしば国土が分断されます。

分断と統一を何度も繰り返すうち、クローヴィス王の血統である王家（メロヴィング家）の権威は次第に弱体化し、代わって「宮宰《きゅうさい》」と呼ばれる宰相職に実権が集中します。この宮宰を務めた一族のひとつが、カロリング家です。そのカロリング家の宮宰であったピピンは、７５１年にローマ教皇の後ろ盾を得て、フランク王に即位します（〜７６８）。

ピピンの子カールは、カール大帝（位：７６８〜８１４）とも呼ばれ、積極的な外征で

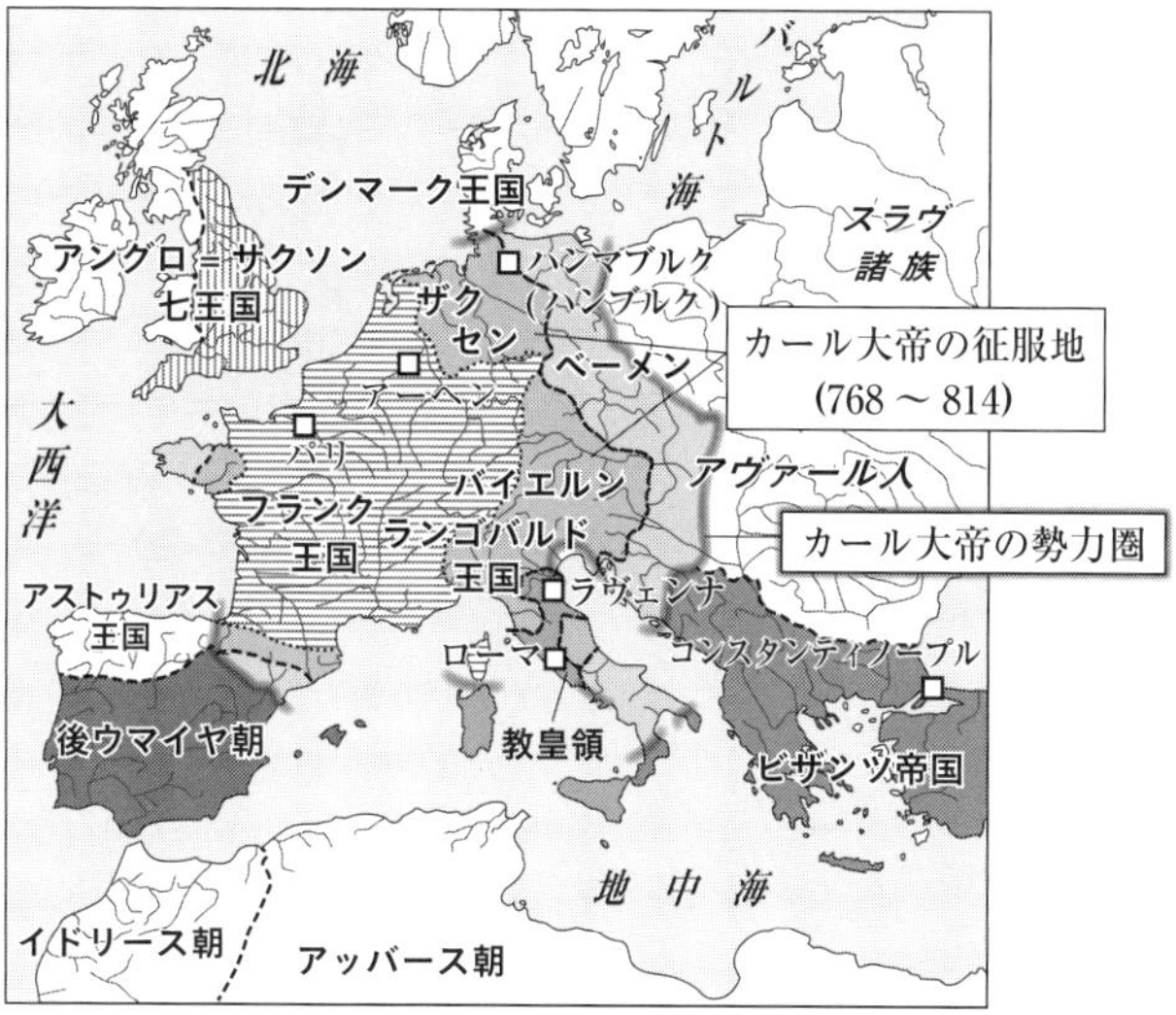

図6　カール大帝の「西ローマ帝国」／ヨーロッパ（810年頃）

今日のドイツ、フランス、イタリアのほぼ全土を支配し、さらに忠実な家臣や土着の族長を「伯」として任命して地方統治を委ねます（図6）。そして800年のクリスマスの日、ローマを訪問していたカールは、教皇レオ3世の手により西ローマ皇帝として戴冠されます。この「**カールの戴冠**」は、ゲルマン、ローマ、キリスト教の三文化を統合した象徴であり、**ヨーロッパ世界**が産声を上げた瞬間でもあります。さらにカール大帝は文芸を保護し、カロリング＝ルネサンスと呼ばれる古典復興が生じました。

　しかしカール大帝の孫の代にフランク王国は三分され、9世紀後期を最後に、ついに再統一を見ることはありませんでした。またフランク王国が分断にあえぐ一方で、ヨーロッパ世界は東西南北から様々な「外敵（外部勢力）」の侵攻を受けます。この9～11世紀の「外敵」の襲来を、「第二次民族大移動」ともいいます。その「外敵」の代表格がノルマン人です。第二次民族大移動が終わりを迎えるまでに、中世ヨーロッパの各地では封建制が定着していくことになります。

十字軍と中世都市

11世紀に入ると、民族移動が沈静化し、気候も温暖期を迎えました。同時に重量有輪犂《ゆうりんすき》という農具や三圃《さんぽ》制という耕作法が普及し、ヨーロッパの農業生産が向上します。これによりヨーロッパでは人口が増加しますが、一方で、増加した人口に対して土地が不足するという問題が発生します。この問題に、ある種の解決策として機能したのが「十字軍」です。十字軍は中世ではperegrinatioといい、これは「巡礼」を意味する言葉です。

農業生産の向上は、農村にさらなる変化をもたらします。各農家では余剰生産物が生じるようになり、近隣の村々から農民が集まってこれを取引する市場が形成されるようになります。この市場は、当初は決められた期間をおいて（5日に1度、10日に1度、など）開かれたため「定期市」といいます。定期市は次第に恒常化（毎日開催）し、市場を中心に近隣の村落が集住して都市が形成されます。この都市は「中世都市」と呼ばれ、中世ヨーロッパ世

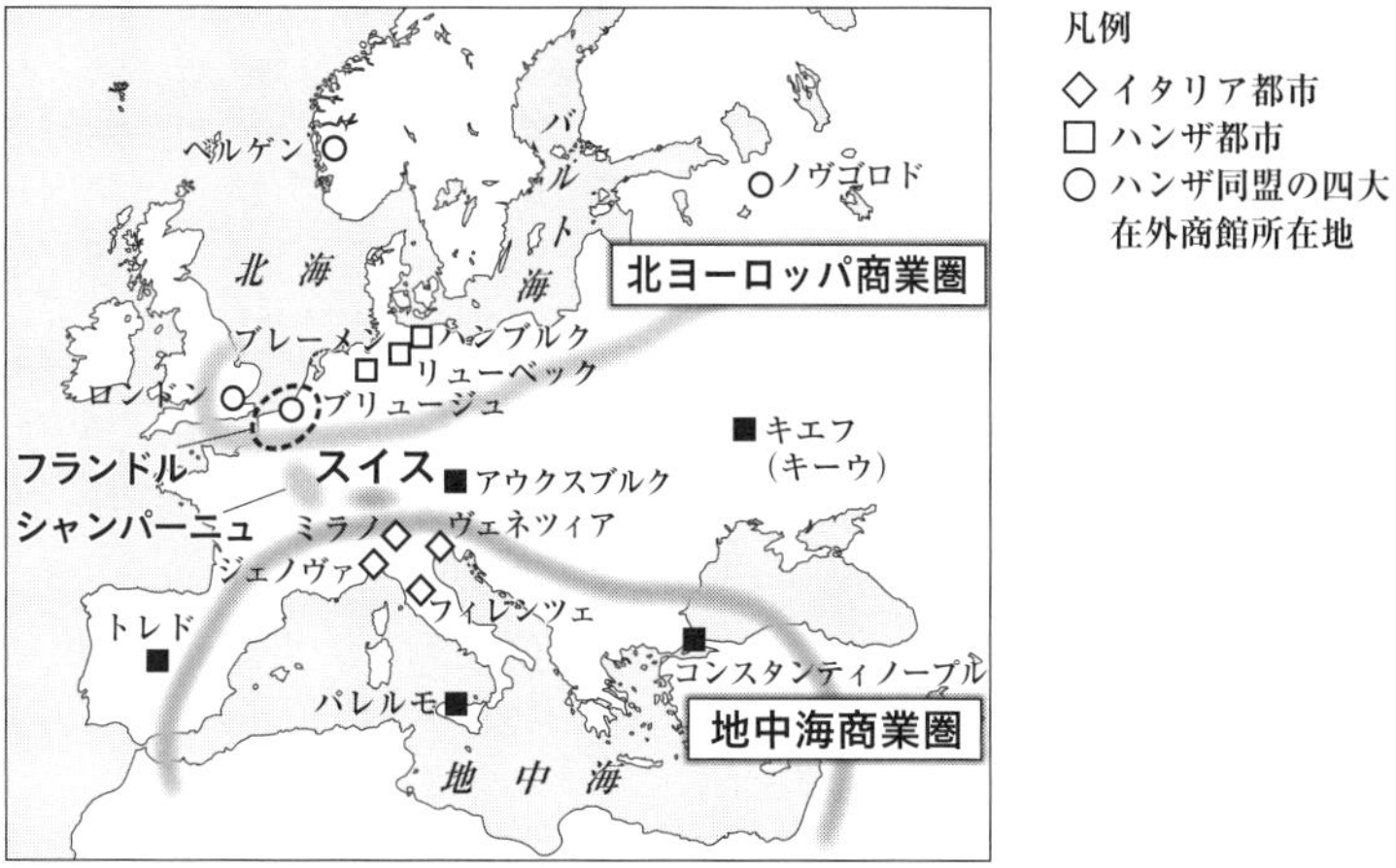

図7　中世都市と商業圏

界における経済活動の中心を担うこととなります。

中世都市は近隣都市だけでなく、やがて遠隔地との貿易を望むようになります。十字軍遠征で地中海東方の諸国との通商路が確立すると、南ヨーロッパではイタリア都市を中心に地中海貿易が花開きます。一方、北ヨーロッパでは、北海やバルト海を介して、塩、ニシン、タラなどの交易が活性化します。中世ヨーロッパでは、古代ローマ時代の道路網のほとんどが活用・整備されず、このため通商は大海や河川といった水上交通が重視されました。

こうして中世ヨーロッパに、2つの水域を中心とした商業圏が形成されます。ひとつは北海・バルト海の「北ヨーロッパ商業圏」、もうひとつは「地中海商業圏」です（図7）。さらに、この2つの商業圏の中継点として発達したのが、フランス北東部のシャンパーニュ地方やアルプス山麓のスイスです。また北海に面したフランドル地方（現在のベルギー西部）も、中継貿易と毛織物の生産地として繁栄を謳歌しました。フランドルはこの後、その所有をめぐってイングランドとフランスの間に百年戦争の原因となります。

一方で、これらの商業圏の都市は、自分たちの権益を守るために都市同盟を結成します。北ヨーロッパのハンザ同盟や、イタリアのロンバルディア同盟、スイス誓約同盟（盟約者団）はその典型です。以上のように、中世都市の成立と十字軍遠征によって、ヨーロッパでは経済活動が活性化したのです。また、十字軍により、イスラーム世界が保持していた古代ギリシア・ローマの知識がヨーロッパに逆輸入され、中世で2度目となる古典ブーム、「12世紀ルネサンス」が生じます。トレドやパレルモといった都市では、アラビア語の文献が盛んにラテン語に翻訳され、この文化運動を支えました。

教会と封建制の衰退

さて、十字軍が影響を与えたのは経済や文化だけではありません。十字軍の停滞は、教皇権や教会権の衰退を招きます。そもそも十字軍の発起人は、当時のローマ教皇であったウルバヌス2世であり、さらに国王などに破門（キリスト教徒として社会的に追放される）を濫発したことから、教会の権威が動揺します。また度重なる十字軍遠征で主力となったのは、領主すなわち諸侯たちでした。繰り返される遠征で諸侯らは疲弊し、代わって比較的勢力を保った国王が、弱体化した諸侯らを順番に屈服させ、全国統一を進めるのです。なかでもフランスでは王権が13世紀より躍進しました。

衰退する教皇権と台頭する王権の象徴となったのが、１３０３年のアナーニ事件です。これは当時のフランス王フィリップ４世（位：１２８５～１３１４）が、教皇ボニファティウス８世（位：１２９４～１３０３）を屈服させた事件です。さらにフィリップ４世は、新たに擁立した教皇クレメンス５世（位１３０５～14）を、南フランスのアヴィニョンに遷し、自らの影響下に置きました。

しかし１３７８年には、アヴィニョンから帰還しようとした教皇に対しローマの教皇庁もまた対立教皇を立て、これにより２人の教皇と２つの教皇庁が並び立つという異常事態に発展しました。これを、「教会大分裂（大シスマ）」といい、１４１７年まで続きます（一時はなんと３人の教皇が並び立ちます）。このように、14世紀に入ると教会権と教皇権の衰退は、火を見るより明らかとなっていきます。

イングランドとフランス——20世紀まで続く対立の原点

フランスは教皇権をしのぐほどの集権国家に成長する一方、イングランドでも中央集権化が進みます。しかし、イングランドの場合は身分制議会の影響が強いという点に特徴があります。この身分制議会は、今日の近代議会（立法府）の原点ですが、法律を制定する立法機関ではなく、国王が課す税を審議する課税審査機構です。つまり身分制議会は、税の議題が中心というわけです。

イングランドは長年にわたりフランスと対立していました。その最大の原因となるのが、12世紀に、フランスの諸侯であったアンジュー伯アンリが、ヘンリ2世（位：1154～89）としてイングランド王に即位したことです（フランス語のアンリは英語でヘンリとなります）。ヘンリ2世は、ただのフランス諸侯ではありません。何といってもフランス最大の諸侯で、その領地は、フランスの西半分を占めるに至ります。フランス最大の領主が、隣国イングランドの国王になってしまったのです。

しかし一方でヘンリ2世はフランスの領地においては、立場上フランス王の家臣に過ぎません。見方を変えれば、イングランド王はフランス王の家臣と見なすこともできます。当然ヘンリ2世にそのようなつもりは毛頭ありません。とはいえ、この微妙な両国の関係は、領土や主導権をめぐる長い抗争に発展します。

ヘンリ2世のフランスの領地は、その大半が末子ジョン王（位：1199〜1216）の治世に失われます。ジョン王は失地回復をあきらめず、戦争を続けようとしますが、長年の戦争に疲弊したイングランドの領主らは国王に反乱を起こします。これを受けジョンは、諸侯に対しマグナ＝カルタ（大憲章）を承認します。さらに次代のヘンリ3世（位：1216〜72）の治世には、シモン＝ド＝モンフォールという貴族が反乱を起こし、国王を追放して議会を開きます。これを機にイングランドでは、代議制と議会政治が発達することになります。

国王による集権化が進むフランスと、議会政治が発達するイングランドの長年にわたる対立は、ついに大戦争を引き起こします。それが、百年戦争です（1337〜1453）。百年戦争で最大の争点となったのが、毛織物工業地帯として知られたフランドル（現在のベルギー西部）と、イングランド領だったフランス南西部のギエンヌ地方をめぐる領土問題でした。

百年戦争により、フランスは大陸からイングランドの勢力をほぼ一掃することに成功し、イングランドとフランス両国は、次第に国民国家としての意識を高めていくことになります。しかし、百年戦争をもってしても英仏両国の対立は終わらず、両国は近世・近代を通じて対立関係が続き、20世紀の第一次世界大戦の直前に、ようやく一連の対立に終止符が打たれます。

分権化の進行するドイツ

集権化が進むイングランドやフランスとは異なり、ドイツでは分権化がより一層進行します。中世のドイツ国家、神聖ローマ帝国では、皇帝に即位するには、ドイツとイタリアで2回（あるいは3回）にわたり戴冠式を挙げねばなりません。このためローマ教皇との関係やイタリア情勢によっては、ローマでの戴冠は難しくなります。

したがって歴代の神聖ローマ皇帝（あるいは候補）は、「イタリア政策」と呼ばれるイタリアへの干渉に熱中し、本国ドイツの統治を、次第に領主・諸侯らに委ねるようになります。また、神聖ローマ皇帝は、ドイツ諸侯による選挙で毎回選出されました。これにより外国の諸君主（とくにローマ教皇）は、ドイツ諸侯らに働き掛けて皇帝選挙を攪乱《かくらん》・妨害し、13世紀には30年近くにわたって皇帝の座が空位になるという、「大空位時代」という混乱期を迎えます。

これを受けて、14世紀の皇帝カール4世（位：1355〜78）は、皇帝選挙を7人の選帝侯という諸侯に限定する金印勅書を公布し、外国による選挙妨害に対抗します。これにより外国の干渉は防ぐことができましたが、一方でこの勅書では、ドイツの諸侯に様々な特権が承認され、これによりドイツ諸侯は皇帝からの半自立が実質的に公認されます（従来の暗黙の権利が追認されたともいえるでしょう）。

金印勅書を機に、ドイツでは諸侯が半自立し、「領邦」と呼ばれるようになります。ドイツは中世以来、およそ300もの領邦が割拠する分権国家になります。こうなると、数多くの領邦をとりまとめねばならない神聖ローマ皇帝位はもはや「貧乏くじ」のようになりますが、ここであえて皇帝位を世襲したのがハプスブルク家でした。ハプスブルク家は、「神聖ローマ皇帝」というネームバリューを活かし、外国の王侯と婚姻政策を展開します。この婚姻政策の蓄積により、ハプスブルク家はヨーロッパ随一の名門と呼ばれる家系にまで発展するのです。

イベリア半島とレコンキスタ

イベリア半島、つまり現在のスペインとポルトガルが位置する地域は、8世紀に南部の大半がイスラーム教徒によって占領されました。北部の山岳地帯にこもったキリスト教徒らは、小規模ながら反撃を加えます。のちに北部のキリスト教諸国によるイベリア南部への進出は、レコンキスタ（国土回復運動あるいは再征服運動）と呼ばれます。

このレコンキスタの中心となったのが、中部のカスティリャ王国と東部のアラゴン王国でした。また、12世紀にはカスティリャ王国の西部の諸侯が自立し、ポルトガル王国が成立します。当初は南部のイスラーム勢力が圧倒的な国力を誇りましたが、13世紀より徐々にキリスト教徒が攻勢に転じ、1479年にはカスティリャ王国とアラゴン王国が合同してスペイン王国が成立します。スペイン王国は、1492年にイベリア最後のイスラーム王朝・ナスル朝の都グラナダを陥落させ、レコンキスタを完了させます。

そしてこの直後、スペイン王の命を受け、あるイタリア人が西方航海へと出発します。彼の名はコロンブス（コロン）。レコンキスタを完了したスペインとポルトガルは、さらなる新天地を求め、今度は大洋に漕ぎ出すのです。

イスラーム教の誕生

さて、ここで6世紀の中東に目を移しましょう。当時の中東では、西のビザンツ（東ローマ）帝国と、東のササン朝という2大国が、熾烈な抗争を繰り返していました。この抗争により、両国を通るシルクロードを安全に通行することが難しくなり、商人らは迂回ルートを利用するようになります。その迂回ルートが、アラビア半島です。アラビア半島は6世紀から東西の商人らが活発に来訪し、これにともない、ユダヤ教やキリスト教、ゾロアスター教といった宗教も流入します。これらの宗教の影響を背景に、イスラーム教が誕生するのです（図8）。

610年、アラビア半島西部の都市メッカ（マッカ）の商人であったムハンマド＝イブン

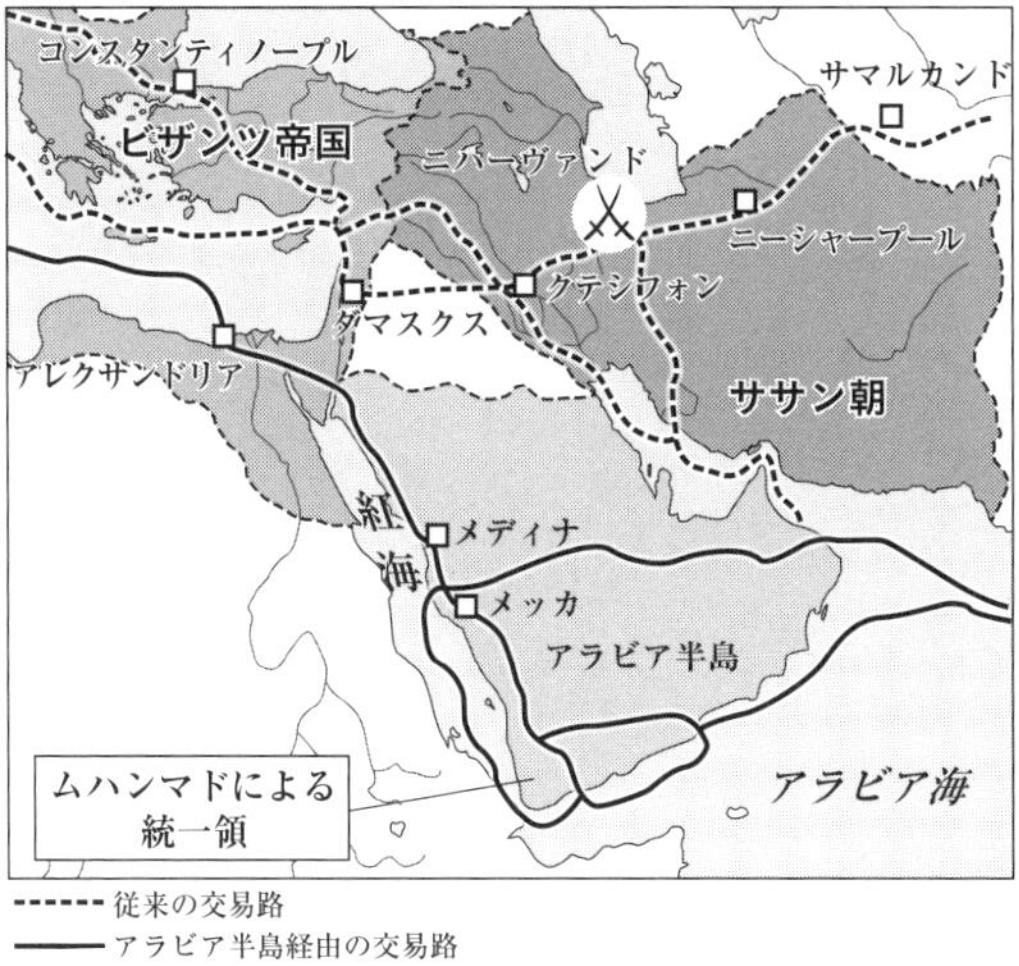

図8　7世紀の中東

＝アブドゥッラーフ（570頃〜632）がアッラー（神）の啓示を受け、イスラーム教が創始されたといいます。当初はムハンマドの声に耳を傾ける者は少なく、彼とその信者らはメッカで迫害を受けます。そこで、ムハンマドらは622年に北方のヤスリブという町に逃れ、この地に信仰の拠点を設けます。これをヒジュラ（聖遷）といい、この年がイスラーム暦元年となります。

　ヤスリブは「預言者の町」を意味するメディナ（マディーナ）と改名され、メディナを拠点とするイスラーム教徒は、メッカと激しく争うことになります。630年にメッカはムハンマドに征服され、アラビア半島の諸部族も次々とムハンマドに帰順し、アラビア半島はほぼ統一されます。ムハンマドが没すると、イスラーム教徒らは彼の代理人として選挙でカリフ（ハリーファ、「後継者」の意）を選出し、その4代目までを「正統カリフ」と呼びます。

正統カリフのうち、2代カリフ・ウマル（位634～44）の治世は「アラブの大征服」とも呼ばれ、長年の抗争で疲弊したササン朝やビザンツ帝国に大攻勢を仕掛けます。ササン朝は651年に滅亡し、ビザンツ帝国もシリアやエジプトなど国土の約半分を失います。こうして勢力を拡大したイスラーム教徒ですが、4代カリフ・アリー（位：656～61）の治世に、深刻な分断が生じます。

アリーはムハンマドの従兄弟でかつ娘ファーティマの夫（ムハンマドの娘婿）であり、早くからムハンマドの真の後継者として声望が高かった人物です。しかし、アリーはカリフ登位後、反対派との抗争に明け暮れます。なかでも最大規模の対抗勢力が、3代カリフ・ウスマーンの出身家系であるウマイヤ家です。

アリーはこの抗争のさなかに暗殺され、これを受けてウマイヤ家の家長ムアーウィヤ（位：661～80）は、自らカリフに登位します。これ以降、カリフの位はウマイヤ家に世襲されることになり、ムアーウィヤを初代とするウマイヤ朝（661～750）が成立したと見なされます。

イスラーム世界の拡大

ムアーウィヤ率いるウマイヤ朝は、まずアリーとその一派に対する弾圧を強化します。680年には、アリーの長男フサインとその信者らが、ウマイヤ朝の大軍により一方的に殺戮されるという「カルバラーの悲劇」が起こります。この事件によりイスラーム教に、今日まで続く分断が生じます。アリーとその一族を信奉する派閥はシーア派と呼ばれ、一方で残る多数派はスンナ派と呼ばれるようになります。

ウマイヤ朝は7〜8世紀にかけて、積極的な外征により、瞬く間に領域を拡大します（図9）。8世紀初頭には、北アフリカからイベリア半島に上陸して征服し、さらにヨーロッパにまで侵攻を試みますが、これはフランク王国の反撃により失敗します。

ウマイヤ朝が急速に拡大したのは、イスラーム教が異教徒に比較的寛容であったことが挙げられます。また、成立期よりイスラーム教徒の多数派であったアラブ人以外にも、ペルシア（イラン）人やベルベル人など、様々な民族にも改宗者が現れました。これらの改宗者はマワーリーと呼ばれます。

しかし、マワーリーは、本来は支払う必要がないジズヤ（人頭税）という税を支払い続けていました。ジズヤとは、キリスト教徒やユダヤ教徒などの異教徒が、信仰を維持する見返りに支払う税のことです。イスラーム教徒となったマワーリーであっても、ウマイヤ朝では

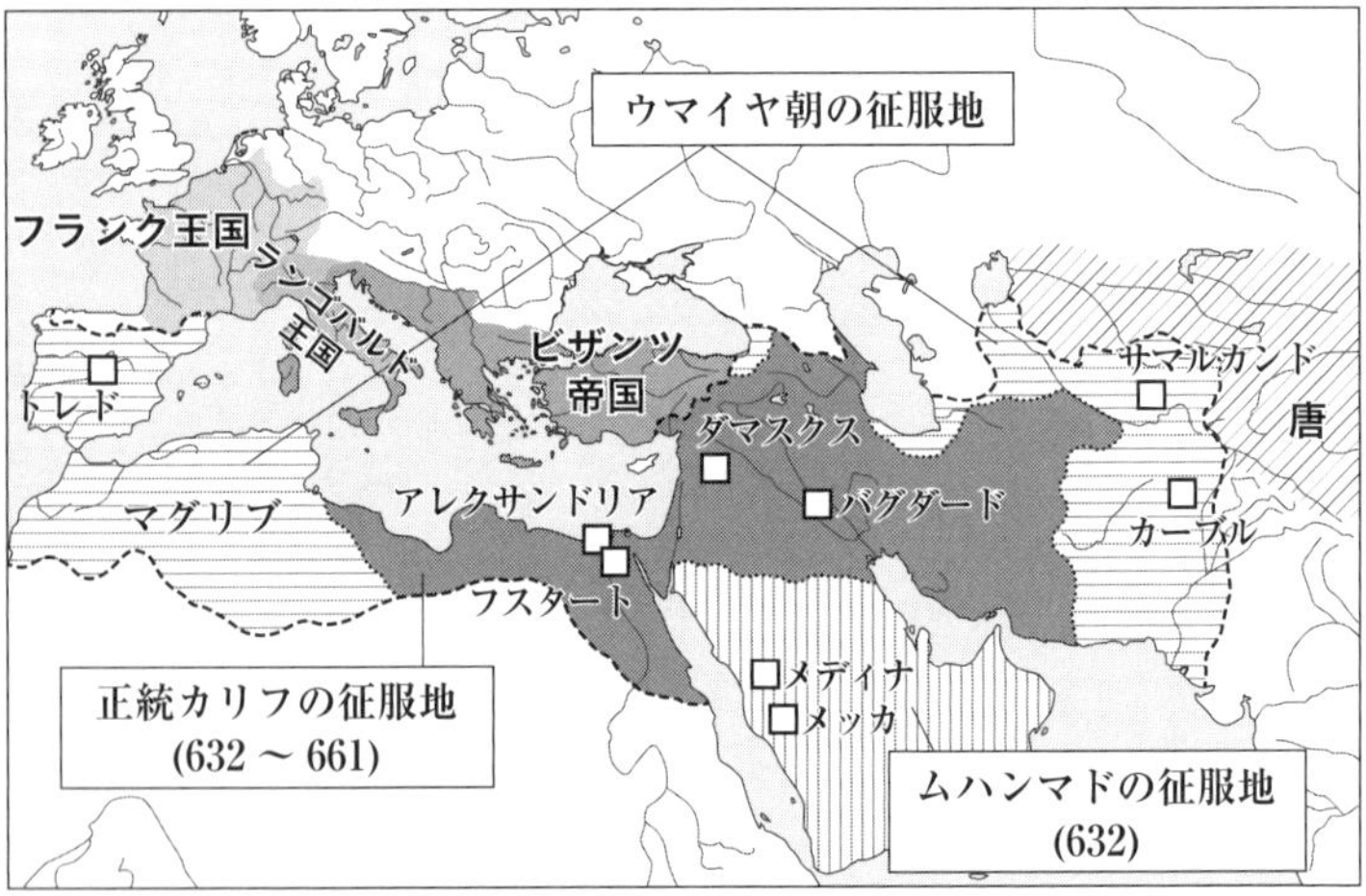

図9　イスラーム世界の拡大

支払いが義務付けられました。一方で、支配層であるアラブ人は、ジズヤはもとよりハラージュと呼ばれた土地税すら免除されており、特権を享受していたのです。このため、次第にマワーリーを中心に、ウマイヤ朝への不満が高まっていきます。

このマワーリーの不満を利用したのが、アッバース家のアブー＝アルアッバース（位：750～54）です。マワーリーの支持を取り付けたアブー＝アルアッバースは、ウマイヤ朝を打倒し、新王朝であるアッバース朝（750～1258）を建国して、その初代カリフに登位します。一方で、ウマイヤ家の生き残りは、はるかイベリア半島に落ち延び、この地で後ウマイヤ朝（756～1031）を建国します。

アッバース朝は2代カリフ・マンスール

（位：754〜75）の治世に、イラクに新都バグダードを建設し、この都市は8世紀末までに人口100万を超える、世界最大の都市に発展します。また、アッバース朝では古代ギリシア・ローマの学術が研究され、非常に先進的な医学、地理学、化学が発達し、文芸も大いに花開きました。このときに研究された古代の学術が、のちにトレドやパレルモで翻訳され、ヨーロッパに逆輸入されるのです。

イスラーム世界の分裂

繁栄を極めたアッバース朝も、9世紀後半より衰退が始まります。アッバース朝では、民族に関係なくイスラーム教徒全体の平等を実現しましたが、これによりアラブ人以外の異民族への依存が高まり、カリフ権が衰退していったのです。このため、イスラーム世界では、地方総督が自立を始め、次第に分断が加速します。この過程を大まかにまとめると、

①アラブ系の分離……支配層であったアラブ系は、アッバース朝のカリフに対抗して離反
（例）後ウマイヤ朝、ファーティマ朝など
②ペルシア（イラン）系の自立……官僚として地方統治に当たっていたペルシア系が王朝を樹立

（例）ブワイフ朝、サーマーン朝など

③トルコ系の割拠……トルコ系民族は、マムルーク（奴隷軍人）としてイスラーム世界に広がり、各地で実権を握るとクーデタで主君を打倒し、自らの王朝を建国

（例）ガズナ朝、ホラズム＝シャー朝、マムルーク朝など

となります。イスラーム世界はまさに四分五裂の状態になり、多様化します。

また、アラブ人という商業民族に起源を持つイスラーム教は、世界各地で積極的な交易活動を展開し、陸路・海路を問わず各地にムスリム商人（イスラーム教徒の商人）が訪れます。このムスリム商人たちが、各地にイスラーム教を広める役割を担ったのです。サハラ以南のアフリカや、東南アジアはその典型です。

しかし、13世紀には、イスラーム世界の大半の地域が、ある勢力の支配下に置かれることになります。それが、モンゴル帝国です。モンゴル帝国の征服で、エジプトのマムルーク朝以西を除くほぼすべての王朝が、モンゴルの支配下に入ります。この、モンゴルの支配の影響を受け、新しいイスラーム王朝が14世紀より台頭します。

宋王朝と北方民族の攻勢

907年に、世界帝国として栄えた唐王朝が滅亡します。唐が衰退した原因は、節度使《せつどし》と呼ばれた辺境の軍司令官たちでした。なかでも755〜63年に、安禄山《あんろくざん》と史思明《ししめい》という2人の節度使を指導者とした安史の乱が起きると、唐王朝の権威は衰退し、節度使は徴税権や裁判権といった地方の統治権まで吸収し、ほぼ自立します。この半自立をなした節度使は、藩鎮《はんちん》と呼ばれます。

唐を滅ぼした朱全忠《しゅぜんちゅう》という人物も、この藩鎮の一人でした。そして、唐の滅亡以降、中国は華北で5つの王朝が交代し（五代）、一方で華南を中心にのべ10カ国が成立（十国）し、分裂状態に陥ります。この時代を、五代十国時代といいます（907〜79）。これらの国々は、いずれも藩鎮たちによって建てられた国でした。

この五代十国時代の中国では、重大な社会変化が起きました。それまで政治の中枢を担っていた門閥貴族が、戦乱に巻き込まれて衰退し、代わって地方で土地を守った大土地所有者、すなわち大地主が台頭します。こうした大地主たちが、後で触れる宋王朝で重要な役割を担います。

分断状態の中国に再統一をもたらしたのが、趙匡胤《ちょうきょういん》という武将でした。趙匡胤は960年

図10　10～11世紀の東アジア

に皇帝に即位し、北漢を除く中国のほぼ全土を統一します。この趙匡胤が開いた新王朝を、宋（北宋）といいます。宋では五代十国時代の戦乱への反省から、各地の藩鎮や節度使を解体し、軍事力を皇帝の近衛軍である「禁軍」と地方軍である「廂軍《しょう》」にあえて限定します。

また、貴族が衰退したことで皇帝権の強化が進み、先ほどの大地主（宋代は形勢戸《けいせいこ》といいます）らが、科挙という試験を経て官僚の中核となります。漢や唐では皇帝権は比較的脆弱なものでしたが、宋代に皇帝による独裁体制がようやく確立するのです。この宋における文官中心の政策を「文治主義」といいます。

文治主義は外交的には問題をもたらしました。中国の軍事力の規模が縮小した結果、北方の遊牧国家が強大化し始めたのです。なかでも10世紀にモンゴル高原で勢力を拡大した契丹《きったん》人の遼《りょう》（何度か契丹、遼と国号を変更していますが、便宜上「遼」で統一します）が、まず北宋に襲い掛かります。遼は五代十国時代に得た燕雲《えんうん》十六州という領土を足掛かりに、中国への南下を企てるのです（図10）。

遼は1004年に、北宋との間で澶淵《せんえん》の盟という講和を結びます。これにより遼は、北宋より多額の貢納金や大量の奢侈《しゃし》品などを得ることになります。また、タングート人が建国した西夏《せいか》という国に対しても、北宋は同様の講和を結びます。

こうして異民族へ贈る大量の金品をまかなうため、宋王朝では商工業を活性化させることになります。北宋の首都である開封《かいほう》は、煬帝の建設した大運河の中継点として物流の中核となり、地方では草市《そうし》と呼ばれた定期市を起源とする鎮という小都市が形成されます。陶磁器の生産で有名な景徳鎮《けいとくちん》も、宋代よりすでに青磁や白磁を生産する代表的な鎮のひとつでした。また、海上貿易では広州や泉州、明州（寧波）などの港町に市舶司《しはくし》を設置し、管理しました。宋代の中国は人口が1億人を突破し、まごうことなき経済大国に発展していったのです。

しかし、それでも北宋は、異民族への貢納や際限なく増える官僚への俸給から、次第に財政難に苦しみます。そんなさなか、12世紀初頭に遼から女真《じょしん》人という民族が独立し、金《きん》とい

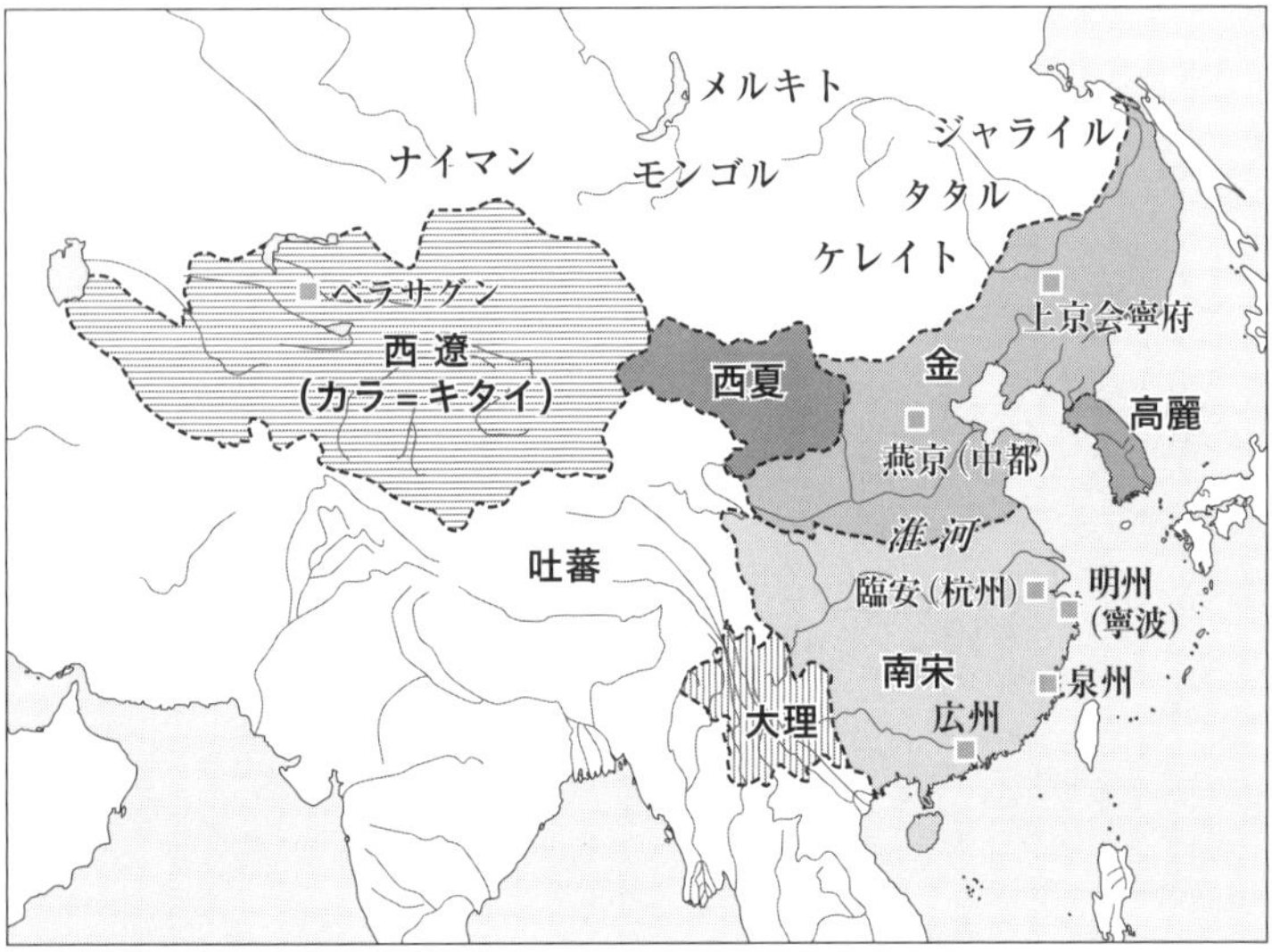

図11　12世紀の東アジア

う王朝を建てます。これを好機と捉えた北宋は、すぐさま金と同盟を結び、遼は金の攻撃を受けて滅亡します。しかし、北宋は金の強大化を嫌い、遼の残党と同盟を組むなどして金を牽制《けんせい》します。これに怒った金は、華北に出兵して北宋の皇族を捕らえ、故郷に連れ去るという苛烈な行動に出ました。

　この事件を靖康《せいこう》の変といいますが、これにより宋は華北を金に占領され、淮河《わいが》以南の地域を保持しつつ、金に服従するだけでやっとの状態となります。これ以降の宋を「南宋」と呼びます（図11）。南宋もやはり金への貢納が義務づけられました。しかし、南宋への侵攻（宋金戦争、1161〜65）に失敗したことで財政難を引き起こします。金ではこの財政難を打開しようと、交鈔と呼ばれる紙幣を乱発しました。これにより金の国力の衰退がはじまるのです。

モンゴル帝国のユーラシア制覇

金が台頭し、南宋が成立した12世紀、北方のモンゴル高原では、様々な部族が割拠し抗争に明け暮れていました。このモンゴル高原から、次の13世紀に世界史が大きく動くこととなります。1206年に、モンゴル高原の諸部族はテムジンという人物により統一され、彼はチンギス＝カン（チンギス＝ハン、位：1206〜27）として即位します。モンゴル帝国（大モンゴル国）の誕生です。

モンゴルを統一したチンギス＝カンは、ナイマンを滅ぼして中央アジアに進出し、さらに当時イスラーム世界で強勢を誇ったホラズム＝シャー朝に壊滅的な打撃を与えます。また、武将のスブタイに命じて遠征を続行させ、スブタイはカルカ河畔の戦いでクマン（キプチャク）人とロシア諸侯の連合軍に大勝します。一方、チンギスは中国に取って返し、西夏に猛攻を加え滅ぼしますが、彼は滅亡の3日前に息を引き取りました。チンギスは一代でモンゴルから中国の北・西部、さらに中央アジアからウラル山脈に至る領域を征服します。

しかし、チンギスの死でモンゴルの遠征が終わることはありませんでした。後を継いだ3

男のオゴデイ＝カアン（位：１２２９～41）は、さらなる遠征を実行に移します。まず、自身は中国へ南下し金を滅亡させます。これにより、モンゴルは華北（中国北部）の一帯を支配します。そして、西方へは甥のバトゥ（１２０７～55）を司令官に、ロシア・ヨーロッパ遠征を命じます。バトゥはロシア諸侯の大半を支配下に入れ、さらに分遣隊は１２４１年にワールシュタットの戦い（リーグニッツの戦い）でポーランドとドイツ諸侯の連合軍に勝利します。

勢いの止まらないモンゴルの猛攻で、ヨーロッパに戦慄《せんりつ》が走ります。ヨーロッパ人はいつしか、モンゴル人のことを、ギリシア語で「地獄」を意味するタルタロスから、「タルタル」と呼ぶようになりました。これはモンゴルの一部族である「タタル（タタール）」が、「タルタロス」に発音が似ていたことに由来しますが、当時のヨーロッパにとって、モンゴルはまさに「地獄からの使者」だったのです。

しかし、ヨーロッパにとって幸運だったことに、バトゥ率いるモンゴル軍はオゴデイ＝カアンの訃報を受けて引き返し、以降、ヨーロッパへの大規模な遠征は見られなくなります。オゴデイの長男グユクの短い治世に続いて即位したのが、オゴデイの甥（バトゥの従兄弟）にあたるモンケ＝カアン（位：１２５１～59）です。モンケもやはり征服活動を引き継ぎ、2人の弟に遠征を命じます。長弟のクビライは雲南を征服し、また次弟のフレグ（フラグ、１２１８～65）は中東に遠征、イスラーム世界最大の都市であったバグダードを攻略し、

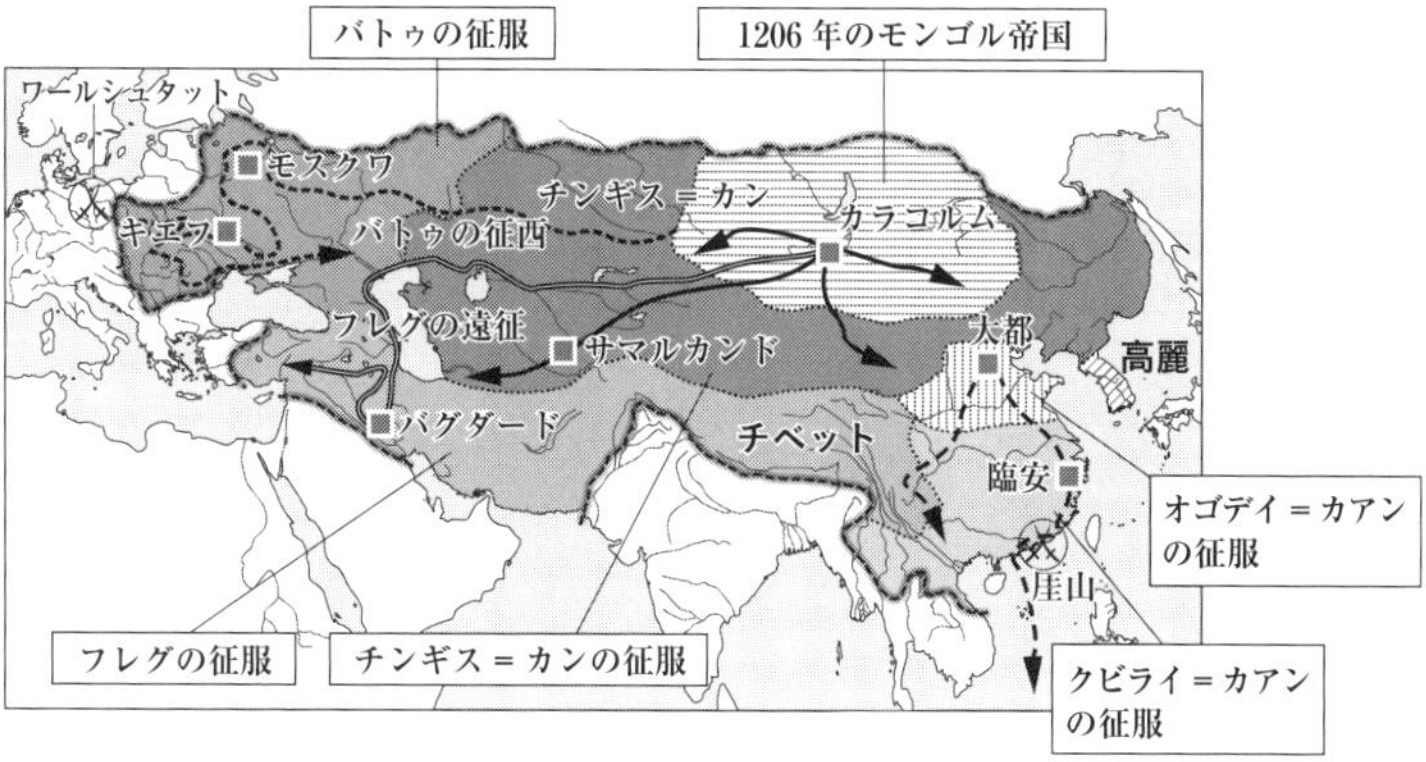

図12　モンゴル帝国の拡大

イラン・イラクの支配を固めます。

そして5代目に即位したのが、クビライ＝カアン（フビライ、位：1260～94）です。クビライは末弟のアリクブケや従甥《じゅうせい》のカイドゥらの反乱に苦しめられますが、彼は中国を支配する正式な王朝として、「元《げん》」という国号を定めます。クビライはさらに南宋を滅ぼして中国の統一を達成し、元の領域は中国全土からモンゴル高原、チベットに及びました。

また、クビライは東南アジアや日本にも積極的な遠征を繰り広げますが、いずれも芳しい成果を得ることはありませんでした。日本への2度の遠征は「元寇」として知られていますね。

モンゴル帝国は13世紀のほぼ100年間を通じ、その大規模な征服活動によりユーラシアの大半を支配する大帝国を築きました（図12）。また、モンゴル帝国がユーラシア大陸を支配し、さらにジャムチ（站赤）

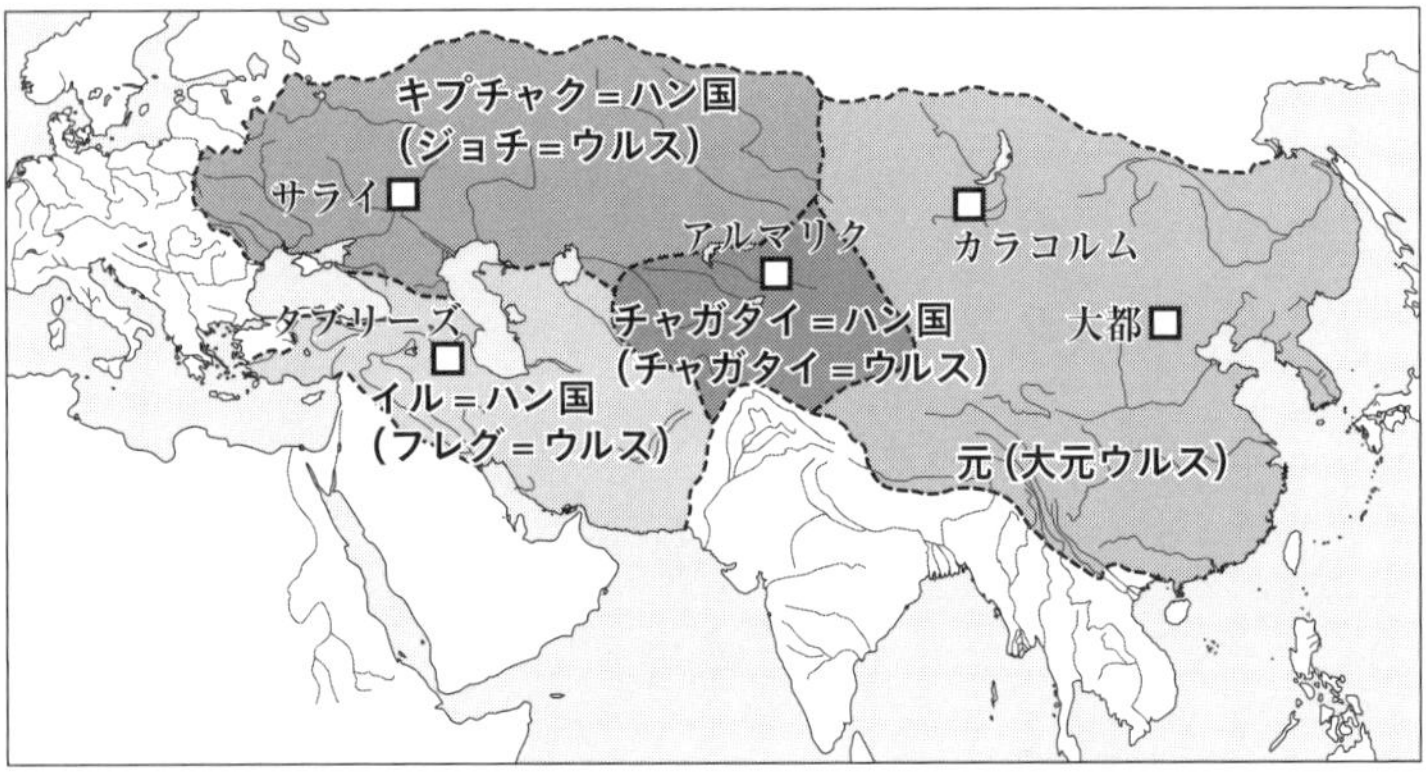

図13　モンゴル帝国と地方政権（ウルス）

と呼ばれた駅伝制を帝国全土に整備したことで、ユーラシア規模で交易活動が始まり、ヒト・モノ・カネの動きが活発となります。こうしてモンゴルがもたらしたユーラシア秩序は「パクス＝モンゴリカ（モンゴルの平和）」と呼ばれ、これによりユーラシア大陸に、まるでひとつの輪を描くような巨大な交易網を育むことになりました。

　こうしたモンゴルの交通網を介して、ユーラシアの東西の文化もまた、相互に行き来します。中国ではそれまで、模様の付いていない白磁や青磁が陶磁器の中心でしたが、モンゴルによりイランからコバルトを顔料にした着色法が伝来し、「染付《そめつけ》」と呼ばれる陶磁器が登場します。

　また、イスラーム世界のイランでは、偶像崇拝の禁止などによって人物画の描写に制限がありました。そうしたイランにも中国絵画の技法が伝わり、細密画と呼ばれる、描写が精細な絵画が発達します。

加えてモンゴル帝国には、マルコ＝ポーロやイブン＝バットゥータといった旅行家たちも訪れ、当時の帝国各地の活況を今に伝えています。まさに、「13世紀はモンゴルの世紀」であったといえるでしょう（図13）。

第1部
世界史を俯瞰するための通史

第3章 近世

アジアの繁栄——イスラーム3帝国の成立

近世という時代、とりわけ18世紀は、アジアにとって繁栄の時代となりました。まずは、中東を中心とするイスラーム世界から見ていきましょう。近世にはイスラーム3帝国と呼ばれる大国がこぞって成立・繁栄します。

「イスラーム3帝国」とは、近世イスラーム世界に成立した、オスマン帝国、サファヴィー朝、ムガル帝国の3つを指します（図14）。なかでもオスマン帝国は、地中海東岸からイラク、バルカン半島に北アフリカまで支配下に入れた大国であり、ビザンツ帝国を滅ぼして（1453）、ローマ帝国の後継者を自認します。

一方、中央アジアでは、モンゴル貴族とトルコ系の混血民であるティムール（位：1370〜1405）が台頭します。ティムールはモンゴル帝国の再興を掲げ、中東各地に大規模な遠征を繰り返し、一代でティムール朝を築きます。そのティムール朝が、ウズベク人というトルコ系遊牧民により滅ぼされると、ティムールの子孫であるバーブル（位：1526〜30）はアフガニスタンを経てインドに侵入し、北インドでティムール朝を再建します。このインドのティムール朝は、一般に「ムガル帝国」と呼ばれます。

イランでは、ティムール朝の衰退後に分断状態が続きますが、サファヴィー教団という宗教結社がイランを統一し、サファヴィー朝が成立します。サファヴィー朝は、シーア派を国

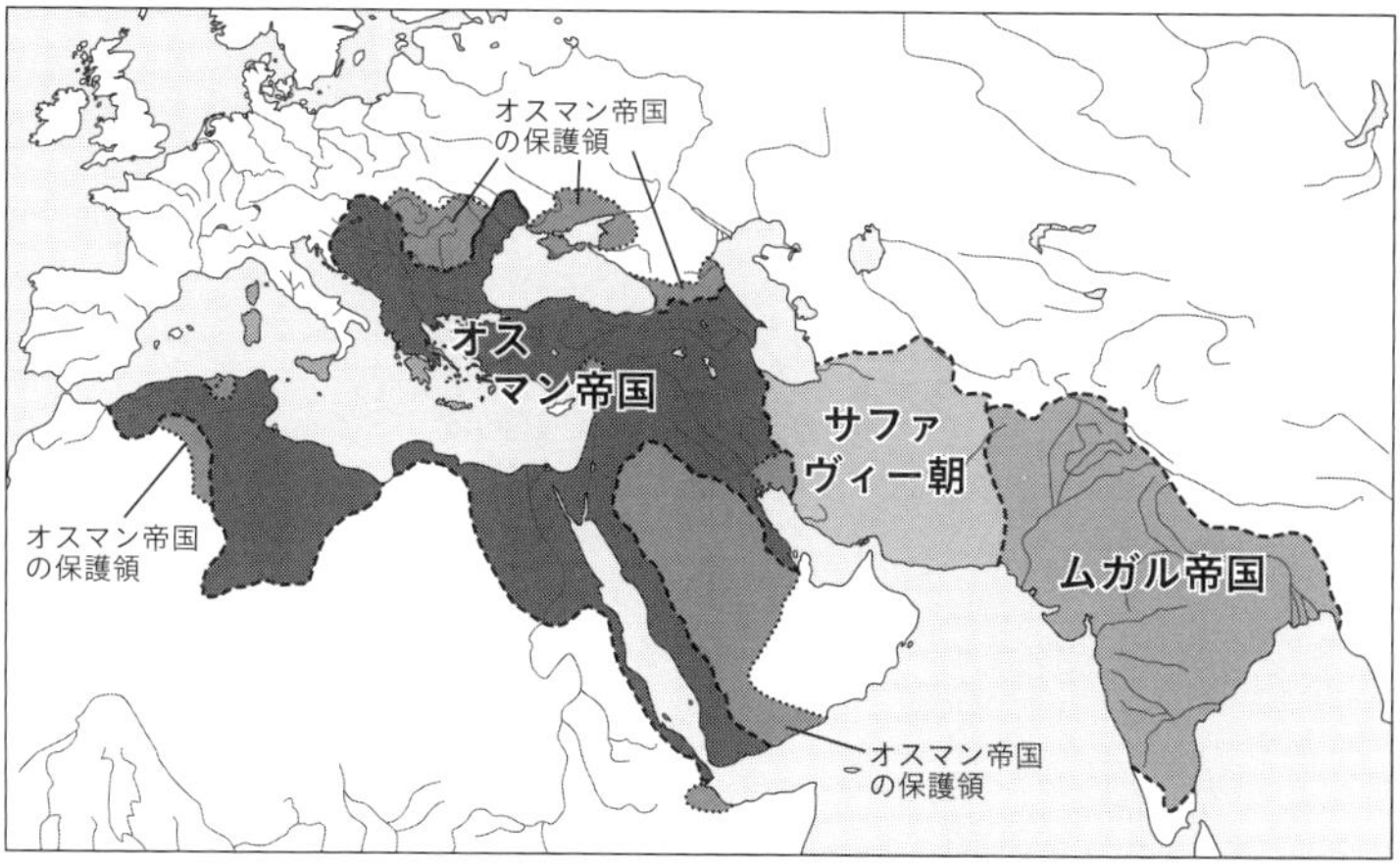

図14　イスラーム3帝国（16世紀後期～17世紀後期）

教とし、ペルシア（イラン）の伝統に回帰するなど、今日のイラン国家の礎を築きます。また、東西貿易の中継点としても非常に栄え、全盛期のアッバース1世の治世（位：1588～1629）には、その首都であったイスファハーン（エスファハーン）は「世界の半分」と称えられるまでになります。

明・清――中国文明の成熟

モンゴル人の王朝であった元《げん》は、1351年に生じた紅巾《こうきん》の乱という農民反乱をきっかけに中国の支配権を失い、モンゴル高原に退去します（これ以降は北元と呼ばれます）。この元をモンゴルに追い払ったのが、明《みん》という漢民族の王朝です。明は華南、すなわち中国南部を根拠地として華北を支配し、中国を統一したという点で、それまでの中国王朝とは一線を画す存在です。このため当初の首都は南京に置かれました。

明では宋以来の皇帝独裁体制が完成します。明の建国者である洪武帝《こうぶてい》（本名は朱元璋《しゅげんしょう》、位：1368～98）は、丞相《じょうしょう》（宰相とも呼ばれ、君主を補佐した最高職）を廃止し、皇帝への権力集中を進めます。もはやかつての豪族や門閥貴族のような、皇帝の命令を阻む存在はなく、明やのちの清の皇帝は絶大な権力を有する専制君主となります。

一方で当時の中国では、元の時代に貨幣とされた銀が国内で不足しており、国家による貿易統制を試みます。海外貿易によって銀が国外に流出することを恐れたわけです。こうして明では海禁《かいきん》と呼ばれる、民間人による海上貿易や海上交通を禁じた政策が維持されることになります。明代の前半は、海外貿易は朝貢《ちょうこう》貿易と呼ばれる、外交使節と同行する公的な商人しか認められませんでした。

洪武帝の後継者となったのは長男の息子（孫）である建文帝《けんぶんてい》でしたが、この建文帝を排除して即位したのが、叔父にあたる永楽帝《えいらくてい》（位：1402～24）です。永楽帝の治世に明は最盛期を迎え、積極的な外征を展開します。

永楽帝は自ら軍を率いて5度にわたりモンゴルに遠征を敢行します。また、宦官《かんがん》の鄭和《ていわ》を提督に任じ、大規模な艦隊を率いた南海諸国遠征を行います。その目的は、明の国威を周辺諸国にアピールし、朝貢貿易の相手国を増やすことでした。鄭和の艦隊は東南アジアを経て南インドに至り、分遣隊はさらにアラビア半島のメッカや東アフリカのマリンディ（現在のケニア）にまで到達します。

鄭和の遠征により、明は朝貢貿易の相手国が増えましたが、一方で依然として民間人の貿易は禁じられたままでした。せっかく遠方の国々から商人がやって来ているというのに、民間人は貿易ができない。こうした不満が、やがて略奪行為となって明を悩ませます。

15世紀より明では「北虜南倭《ほくりょなんわ》」と呼ばれた勢力の圧迫に悩まされます。「北虜」とは北方のモンゴル高原の遊牧国家、「南倭」とは華南の港町を荒らしまわった海賊で、これらは倭寇《わこう》と呼ばれます。この時期の倭寇は「後期倭寇」と呼ばれ、名前とは裏腹にその大半は中国人でした。彼らは海禁で貿易ができないことを不満として、明の沿岸を荒らしまわったのです。また、北虜と呼ばれた北方の遊牧民たちも、明との通商を求めて侵攻や略奪を繰り返します。北虜南倭は、時期だけでなく活動した目的も同じだったというわけです。

16世紀中頃、明はついに海禁を緩めます。しかし、今度は慢性的な財政難を抱えるようになります。この財政難に対し、一条鞭法《いちじょうべんぽう》という税制が施行されます。これは、当時メキシコや日本から大量に中国に流入した銀で税を納入することを定めたものです。しかし、こうした政策も結局は、皇室の浪費や異民族の侵入で水泡に帰します。

16世紀後期に豊臣秀吉が行った朝鮮出兵に対して明も援軍を派遣し、これが財政難をより悪化させます。さらに中国東北部で女真人が後金《こうきん》という国を建国すると、この後金が急速に勢力を拡大して、末期の明を圧迫するのです。

ここで、焦点を明からやや北方へ移すことにしましょう。17世紀初頭に、中国東北部に割拠した女真人が再び台頭を始めます。女真人といえば、12世紀に金という国を建国し、宋から華北を奪った民族です。その女真人がヌルハチ（位：1616～26）という首長によって統一され、後金という国が建国されます。ヌルハチは自身の国を「満洲《まんしゅう》（マンジュ）」と呼び、のちにこれは女真に代わる彼らの民族名としても定着します。

ヌルハチの後継者ホンタイジ（位：1626～43）は、国号を後金から「清《しん》」に改めます。そして朝鮮半島や内モンゴルを制圧し、いよいよ中国への進出を本格化させます。そうしたなかで1644年に北京で李自成《りじせい》の乱が起き、これにより明は滅亡します。

このとき万里の長城の城塞のひとつである山海関《さんかいかん》の守将であった呉三桂《ごさんけい》は、仕えるべき主君を失ったことで清に降伏し、清の順治帝《じゅんちてい》（位：1643～61）は万里の長城を突破して北京を占拠します。こうして清は中国の支配を固めます。この順治帝ののち、清では康熙帝《こうきてい》（位：1661～1722）、雍正帝《ようせいてい》（位：1722～35）、乾隆帝《けんりゅうてい》（位：1735～95）と3代の皇帝の治世に全盛期を迎え、後世に「三世の春」と呼ばれました。

18世紀にかけて全盛期を迎えた清では、人口が3億人を突破し、また明代より陶磁器や綿織物、絹織物などの手工業が発達します。乾隆帝の治世における中国のGDPは、当時の世界の3割を占めると推定される圧倒的な生産力を誇りました。膨大な人口と他地域を圧倒する産業を抱えた清は、大航海時代を迎えてヨーロッパからやってきた商人にも盛んにこれらの商品を輸出し、18世紀にアジアはその繁栄を謳歌したのです。

2022年現在、中国は世界第2位の工業大国となっていますが、これは見方を変えれば、アジアが中心であった18世紀の世界経済に回帰しつつあると考えることもできるでしょう。

近世ヨーロッパの始まり――ルネサンスと大航海時代

近世ヨーロッパの始まりを告げるのは、ルネサンスと呼ばれた運動です。「ルネサンス」は「再生・復興」を意味する言葉で、より具体的には「古代ギリシア・ローマ文化の復活」となります。いわば古典ブームというべき現象です。キリスト教が絶大な影響力を保持した従来の中世に対し、キリスト教以前の古代においては、人間は豊かな感受性を保持していたと、当時の文化人は考えたのです。したがって、ルネサンスのキーワードとなったのは人間性の解放、「人文主義（ヒューマニズム）」でした。

ルネサンスは人間性の解放や理性（人間の考える力）が重視されましたが、一方で当時の芸術作品には、キリスト教や聖書の世界観を描いたものが数多く見受けられます。中世と近代という2つの時代の特徴がないまぜになった時代、という独特の性格が、近世にはあるのです。近世は、新しい価値観や概念が形成される過渡期というべき時代です。

ルネサンスでは技術革新もありました。「ルネサンスの三大改良」と呼ばれる、羅針盤《らしんばん》、火薬、活版印刷の実用化です。これらはいずれも宋代の中国（10～12世紀）に起源を持ちますが、なかでも羅針盤の実用化は遠洋航海を可能とし、大航海時代の幕開けをもたらすのです。

大航海時代を先導したのは、ポルトガルとスペインでした。どちらの国もイベリア半島というヨーロッパの西の端に位置し、新天地を求めて大海に漕ぎ出すのです。ポルトガルはアフリカ大陸の南を回ってインドを目指し、スペインは西回り航路でアジアを目指しましたが、その途上で新大陸（南北アメリカ大陸）に到達します。

スペインは中南米を征服して広大な植民地経営を展開し、またこの地では**銀**鉱山が次々と開削されて、大量の**銀**が世界中にもたらされます。これと同時期に、日本の石見銀山で産出された**銀**も、世界規模で流通することになります。こうして**銀**は、19世紀後期まで国際貿易の共通通貨として重要な役割を担うのです。

宗教改革と資本主義

ルネサンスの広まりによって、カトリックに対する批判もまた知識人たちの間で広まります。すでに教皇を頂点とするローマ＝カトリック教会は、14世紀からその権威は衰退しており、ルネサンスの拡大はこれに乗じたものでもありました。こうしたなかで、ドイツでいち早く宗教改革を開始したのが、マルティン＝ルター（１４８３～１５４６）でした。

宗教改革はドイツだけではありません。同時期の16世紀には**スイス**でツヴィングリ（１４８４～１５３１）やカルヴァン（１５０９～64）が相次いで改革を行い、イギリスでは国王ヘンリ8世（位：１５０９～47）がカトリックから独立してイギリス国教会を創始しました。カトリックから分離したこうした諸派をまとめて、「新教」あるいは「プロテスタント」と呼びます。

なかでも注目すべきは**カルヴァン**で、彼の思想（カルヴァン派）は商工業者らに受容され、これがヨーロッパに資本主義を定着させる決定的な要因となったのです。

一方でカトリックも、この状況を静観し続けたわけではありません。新教に対抗して１５３４年にはイエズス会が発足し、この修道会は大航海時代の時流に乗って世界各地にカトリックを広めます。このため中国の明・清や日本にもイエズス会の宣教師らが来訪します。日本を訪れたフランシスコ＝ザビエルや、中国を訪れたマテオ＝リッチ、アダム＝シャール、ブーヴェ、カスティリオーネらはその代表です。

宗教対立と主権国家体制

近世ヨーロッパで新教が生まれたことにより、旧教と呼ばれたカトリックと新教との対立が激しくなります。この新教と旧教による戦争を宗教戦争といいます。こうした宗教戦争の一例が、オランダ独立戦争（八十年戦争：１５６８～１６４８）でした。

オランダを含む現在のベネルクス３国の一帯は16世紀までスペイン領であり、当時のスペイン国王フェリペ２世（位：１５５６～98）の治世に、重税やカトリックの強制を受けて新教徒が反乱を起こします。１５８１年に北部７州と呼ばれた一帯がフェリペ２世の統治権の否認を宣言。これをもってオランダという国家が独立したと世界史では見なしています。オランダは独立の前後からアジア貿易に乗り出し、ほぼ17世紀を通じて他国を圧倒する経済大国として君臨します。

フランスではユグノー戦争（１５６２～98）が起きます。カトリック国家のフランスでは、「ユグノー」と呼ばれたカルヴァン派の信者が弾圧を受けており、その度重なる弾圧に耐えかねたユグノーがついに挙兵したのです。ユグノー戦争は、アンリ４世（位：１５８９～１６１０）という君主が即位し、ナントの王令によってユグノーの信仰の自由が保障されて終結します。このアンリ4世に始まるフランスの王朝が、ブルボン朝です。

こうして宗教対立がヨーロッパに拡大する一方、ある概念がヨーロッパで定着を始めます。それが「主権国家」です。主権国家の成立の背景となったのが、宗教改革とほぼ同時期に展開されたイタリア戦争（1494～1559）です。イタリア戦争は文字通りイタリアが戦場の中心ではありましたが、神聖ローマ帝国、スペイン、フランス、オスマン帝国といった、当時の地中海世界を代表する強国がそろい踏みとなった国際戦争でもありました。

イタリア戦争で注目すべきは、明確な勝者がいなかった、すなわち「引き分け」に終わったということです。この大戦争を経験したヨーロッパでは、大国同士が同盟を結び、お互いを牽制しながら相対的な平和を保つようになります。いわゆる「勢力均衡」です。

勢力均衡は英語でBalance of Powersといいます。Powerは「強国・大国」を意味し、Powersは「列強」と訳すのが適切といえるでしょう。イタリア戦争という大戦争では「列強」と呼ばれる大国たちが史上初めて登場し、以後の国際関係はこの列強同士のパワーバランスの上に成り立つようになります。

ここで重要なのが「外交」です。列強と呼ばれた大国たちは、お互いの牽制のため、同盟を組んだり離反したりします。逆にいえば、このように対等な外交が展開できるのは必然的に大国に限られ、こうした大国は諸外国の干渉を受けることなく、自国で様々な政策を展開できるようになります。この外国に干渉されない権限、すなわち独立国としての権限を「主権」と呼び、これを有する国家を「主権国家」といいます。

近世初期の主権国家は列強とほぼ同じ存在と見なせます。したがって勢力均衡とは、列強（＝主権国家）同士がパワーバランスを保つことを意味し、「主権国家体制」とも呼ばれます。主権国家体制はその響きとは裏腹に、国際関係・国際体制の名称なのです。近世では列強を中心に、次第に国土や国境といった概念が明確化され、近代国家の条件が次第に整備されていくのです。

「17世紀の危機」——戦乱の１００年間

さて、17世紀は、大航海時代における海外貿易の拡大などにより活況に湧いた16世紀とは異なり、初頭を過ぎるとヨーロッパは危機的な状況に陥ります。まず17世紀には小氷期が到来し、地球規模で寒冷化します（14世紀にも同様の現象が起きました）。これによりヨーロッパ各地で凶作や飢饉が生じ、また黒死病も再流行します。

これと並行するように、17世紀のヨーロッパでは戦乱が絶えませんでした。ドイツの三十年戦争、フランス王ルイ14世の侵略戦争、イギリス革命（ピューリタン革命）といった大規模な戦争・内乱が続き、これによりヨーロッパは人口減少や経済の停滞を余儀なくされました。一方でオランダのように繁栄が続いた国家もあり、必ずしもヨーロッパのすべての国々がこの危機的状況に巻き込まれたわけではありません。

とはいえ、やはりこの17世紀のヨーロッパは混乱のただなかにあったことに違いはなく、この100年間で大規模な飢饉だけでも6回、ヨーロッパでまったく戦争のなかった年はのべ4年間しかなかったとされます。このため、この時期のヨーロッパ情勢は「17世紀の危機」と呼ばれます。

この「17世紀の危機」を代表する戦争が三十年戦争（1618～48）です。これは「ヨーロッパ最後で最大の宗教戦争」とされます。原因は神聖ローマ帝国の新教徒と旧教徒の対立にありましたが、これにスペイン、デンマーク、スウェーデン、フランスといった国々が参戦し、大規模な国際戦争に発展したのです。三十年戦争という大戦争を経験したヨーロッパ諸国は、1648年のウェストファリア条約で戦争を終わらせ、主権国家体制の再建を図ります。

しかし、ウェストファリア条約で形成された主権国家体制（＝ウェストファリア体制）は、まもなく解体の危機を迎えます。フランス王ルイ14世（位：1643～1715）が、充実した国力を背景に常備軍を増強し、対外侵略に乗り出したのです。ルイ14世は生涯にのべ27年にも及ぶ戦争を主導し、ルイ14世が軍を起こすたびに、ヨーロッパ諸国は共同してこれを何とか食い止めるという構図が出来上がります。逆にいえば、ヨーロッパ列強が束になってかからないと抑えきれないほど、当時のフランスの軍事力は強大だったのです。

また、三十年戦争など「17世紀の危機」における際限のない破壊は、キリスト教の権威を失墜させるのに十分なものでした。そもそも隣人愛を旨とするはずのキリスト教徒同士が、際限のない殺戮を招いてしまったわけです。だからこそ知識人たちは、キリスト教に代わって「理性」という人間の考える力をもって破壊や暴力を防ごうと考えます。このような理性をもって、キリスト教に代わる新しい秩序や政治の在り方を模索した思想を「啓蒙《けいもう》思想」といいます。

近世の大国フランス――絶対王政？

さて、先ほど登場したルイ14世とフランスのブルボン朝といえば、「絶対王政」という言葉を思い浮かべた方もいるでしょう。絶対王政あるいは絶対主義とは、国王が貴族や諸侯の権限を奪い、中央集権化を図った政体のことをいいます。ここでポイントなのは、あくまで「図った」のであって「実現した」わけではないことです。言い換えれば、絶対王政というシステムの下では、中央集権化は完成しなかったといえます。

この絶対王政の典型例が、近世フランスのブルボン朝です。というより、絶対王政の定義が厳密に合致するのはフランスくらいしかないのですが……。例えば、イングランドは中世以来の身分制議会が権限を維持していますし、スペインは地方分権が顕著で、国家統合に非常に苦慮します。こうして見ると、むしろ絶対王政に当てはまらない国家のほうが広く見られたという見方もできます。

では、そのフランスですら中央集権化が完成しなかったのはなぜでしょうか。まず断っておきますが、近世のフランスは他国と比べても格段に王権への権力集中が進んでいた国家です。中世の12世紀から、フランスは歴代国王の主導力によって、着実に中央集権化を進めていました。

しかし、フランス絶対王政の絶頂期といわれたルイ14世の治世ですら、その支配力には限界がありました。その限界を示すのが、「社団《しゃだん》」と呼ばれる集団です。社団とは貴族やギルド、大学といった職能集団や、村落や都市などの地縁共同体からなります。かいつまんでいえば、「何らかの形で人々をまとめているグループ」のことです。社団は「中間団体」とも呼ばれ、こちらの呼び方のほうがこの後の説明でイメージがしっくりくるかもしれません。

ルイ14世のような国王の命令は社団には届きますが、その社団の構成員、つまり臣民の一人ひとりに直接支配が行き渡っていたわけではないのです。また社団は常に国王に従順だったわけではなく、場合によっては国王に反抗することも珍しくありませんでした。国王であっても、多くの社団の意向は無視できず、社団と国王との利害調整によって政策が決定されたのです。

したがって、このようにフランスですら国王の権限は「絶対」とは言い難いという状況にありました。絶対王政はその実態を精査すると、中央集権化の中途な結果に過ぎなかったのです。

財政＝軍事国家論――絶対王政に代わる近世の展望とは

では絶対王政でないならば、近世ヨーロッパ国家は結局のところ何だったのか？　この問いへの解答として近年言及されるのが、「財政＝軍事国家論」です。これは現行の高校教科書で直接言及されていることではありませんが、この後の近世の展開を追ううえでも非常に参考となりますので、ちょっと掘り下げてみましょう。

近世はイタリア戦争や「17世紀の危機」といった数多くの戦乱が発生しました。なかでも「17世紀の危機」によって、ヨーロッパ諸国では「軍事革命」が進行します。軍事革命とは、大砲や鉄砲といった火器が実用化されたことで、軍事戦略や戦術に根本的な変化が生じたというものです。しかし、この軍事革命の最大のポイントは、「ヨーロッパ各国で国家財政に占める軍事費の割合が急増した」ことにあります。

17世紀のヨーロッパ各国の軍事費を比べてみると、フランスは16世紀と比べて5～8倍、イギリスはさらに多く16倍、オランダは17世紀の末期に国家財政の90％を軍事費が占め、同時期の神聖ローマ帝国にいたってはなんと98％にも上りました。

このように「17世紀の危機」を迎えたヨーロッパ諸国は、相次いで軍事国家へと変貌を遂げたのです。軍事国家で最大の課題となるのが、その膨大な軍事費をどのように捻出するかです。すなわち財政政策や財源の確保ですね。財源の確保には大きく2つの手段があります。ひとつは増税、もうひとつは商業活動です。

ここで注目したいのが商業活動。商業の中心となるのは商人や金融業者です。彼らもまた社団のひとつとして国家を支えます。この商人たちを国家は保護し、この政策は**重商主義**と呼ばれます。そして、商業につきものなのが投資です。商人たちは少しでも有望な投資先を求めて、様々な事業やモノに投資します。

さらに大航海時代を迎えたことで、ヨーロッパ商人たちの活動は文字通り世界中に広がります。それは投資先の拡大をも意味するのです。ここで問題となるのが、例えばフランスの商人がイギリスに投資すると、その投資はイギリスの儲けになってしまうということです。

これではせっかく商人を保護しても、利益が国家にあまり還元されません。

そこで、各国は次第に自前で投資先を用意しようとします。その投資先が海外植民地です。海外植民地を増やすことで商人という社団の投資先を、いわば国内につなぎ止めることができます。さらに願わくは他国の商人たちの投資も惹きつけようという魂胆です。

こうしてスペインやポルトガルに続いて、ヨーロッパ諸国も次々と海外進出を本格化させます。なかでも海外植民地をめぐって激しく争ったのが、イギリスとフランスでした。この両国は17世紀から19世紀にかけての非常に長い期間にわたって、海外植民地を奪い合うことになるのです。

2度目の百年戦争

「百年戦争」といえば中世にイングランドとフランスが争った戦争として紹介しましたが、実はこの両国は近世から近代にかけて2度目の百年戦争を戦っています。これは「第二次英仏百年戦争」と通称されます。この2度目の百年戦争の原因となったのも領土問題でした。しかし今回は海外領、すなわち北アメリカやインドの植民地をめぐる戦争なのです（表1）。

この第二次英仏百年戦争のきっかけを作ったのが、フランスのルイ14世でした。ルイ14世は1688年に大同盟戦争（ファルツ継承戦争）を開戦しますが、この戦争は名称の通り、

<table>
<tr><th colspan="3">戦場</th><th rowspan="2">結果</th><th rowspan="2">イギリス君主</th><th rowspan="2">フランス君主</th></tr>
<tr><th>ヨーロッパ</th><th>北アメリカ</th><th>インド</th></tr>
<tr><td>1688~97
大同盟戦争
（ファルツ継承戦争）</td><td>ウィリアム王戦争</td><td rowspan="2"></td><td>ウィリアム王戦争は引き分け</td><td>ウィリアム3世</td><td rowspan="2">ルイ14世</td></tr>
<tr><td>1701~13(14)
スペイン継承戦争</td><td>アン女王戦争</td><td>イギリスの勝利
北米植民地などをフランスから獲得</td><td>アン</td></tr>
<tr><td>1740~48
オーストリア継承戦争</td><td>ジョージ王戦争</td><td>1744~63
カーナティック戦争</td><td>ジョージ王戦争は引き分け</td><td rowspan="2">ジョージ2世</td><td rowspan="2">ルイ15世</td></tr>
<tr><td>1756~63
七年戦争</td><td>フレンチ＝インディアン戦争</td><td>1757
プラッシーの戦い</td><td>イギリスの圧勝
フランスは北米・インドの植民地をほぼすべて喪失</td></tr>
<tr><td></td><td>1775~83
アメリカ独立革命</td><td rowspan="2"></td><td>イギリスはアメリカ合衆国の独立を承認</td><td rowspan="2">ジョージ3世</td><td>ルイ16世</td></tr>
<tr><td>1799~1815
ナポレオン戦争</td><td></td><td>第二次英仏百年戦争の終結</td><td>ナポレオン1世</td></tr>
</table>

※カーナティック戦争はオーストリア継承戦争から七年戦争にかけて継続
また、アメリカ独立革命ではフランスは13植民地（アメリカ合衆国）と同盟し、イギリスと交戦

表1　第二次英仏百年戦争の推移

ルイ14世のフランスに対抗してオーストリア、スペイン、オランダ、スウェーデン、そしてイングランド（1707年から今日のようにイギリスと呼びます）といった列強が同盟して戦った国際戦争です。

そして、この大同盟戦争は北アメリカにも飛び火し、フランスとイギリスは北米でも戦うことになります。北米の戦争は当時のイギリス王の名前からウィリアム王戦争と呼ばれ、この戦争は決着がつきませんでしたが、これ以降19世紀の初頭まで、英仏両国は断続的に戦争を続けるのです。

この第二次英仏百年戦争の趨勢《すうせい》を決めたのが七年戦争でした。七年戦争ではイギリスが北アメリカとインドの戦場で圧勝し、これによりイギリスは海外市場《しじょう》を確保します。この海外市場の競争に勝ち抜いたイギリスは覇権国家となり、他国を圧倒する経済力を手にします。このなかでも重要な市場となるのがインドで、七年戦争とほぼ同時期にイギリスで始まる産業革命を経て、イギリスの最重要市場（＝最重要植民地）としてその繁栄を支え続けるのです。

18世紀の新興国――5大国の時代

18世紀に入ると、東ヨーロッパに新興国が登場します。そのひとつであるプロイセンは、もともと神聖ローマ帝国の領邦とドイツ騎士団国家に起源を持つ国家でしたが、歴代の有能な君主の統治により次第に頭角を現し、ついに18世紀に入って王国を名乗ることが許されます。これよりプロイセンは軍拡に勤《いそ》しみ、とくに大王と呼ばれたフリードリヒ２世（位：１７４０～86）の治世にオーストリアとの一連の戦争で、その軍事力の精強さを存分に発揮します。プロイセンはフリードリヒ２世の主導により、一躍列強に数えられるまでになります。

一方、神聖ローマ帝国の皇帝を世襲するハプスブルク家は、三十年戦争で神聖ローマ帝国が有名無実化すると、根拠地オーストリアを中心とする自領の経営に集中し、17世紀末には

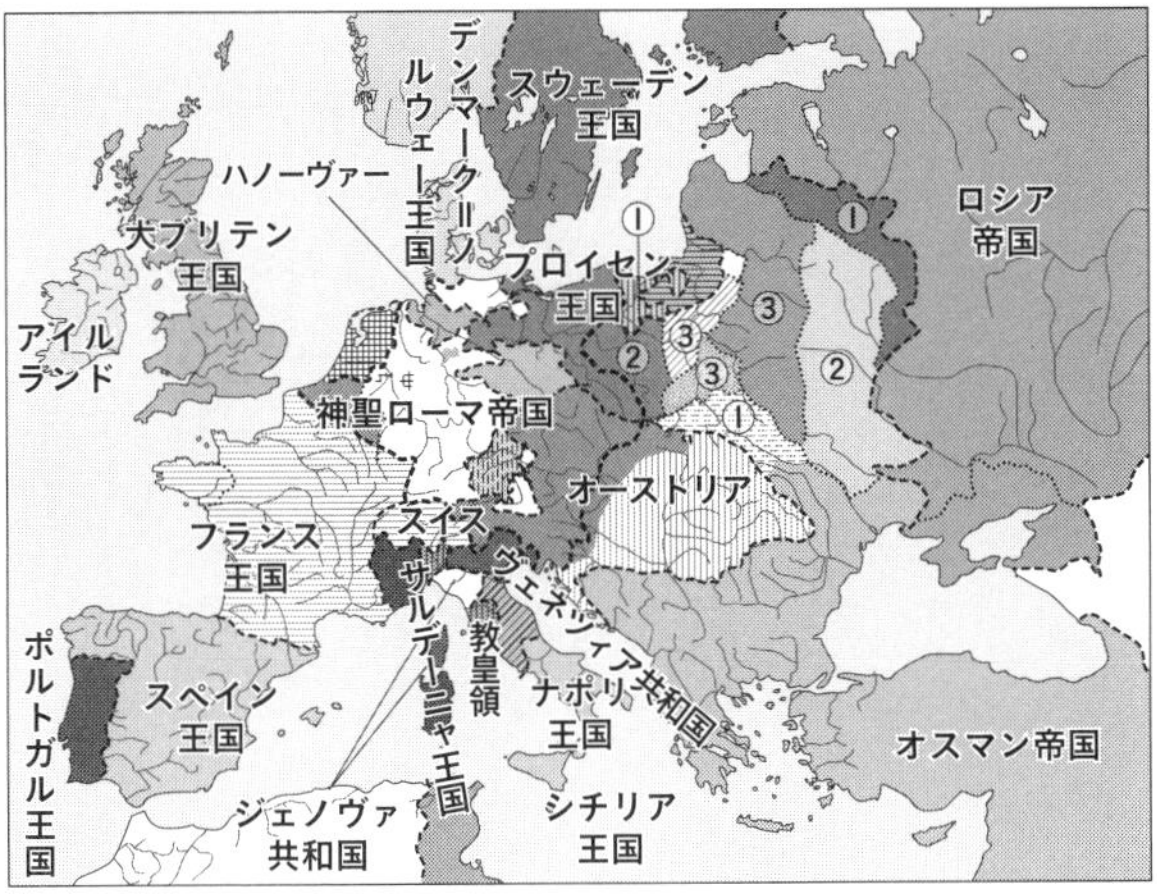

図15　18世紀後期のヨーロッパ

オスマン帝国との戦争に勝利してハンガリーを併合して領域を大幅に広げます。ハプスブルク家の領域は一般に「オーストリア」と呼ばれますが、実態は多民族の国家の君主をハプスブルク家の君主が兼ねる同君連合というべきもので、歴史家の間では「ハプスブルク君主国」と通称されます。

また、15世紀にモンゴルの支配から自立したモスクワ大公国は、ポーランドやスウェーデンといった強大な隣国と争いながらシベリアにも進出し、ヨーロッパとアジアにまたがる広大な領域を支配します。このモスクワ大公国は、18世紀からロシア帝国と呼ばれるようになります。

ロシアはヨーロッパのなかでは立ち遅れた国でしたが、ピョートル1世（位：1682〜1725）が西洋を自ら視察して近代化を進め、さらにスウェーデンとの大北方戦争（1700～21）に勝利し、バルト海への進出を果たします。エカチェリーナ2世（位：1762～96）の治世にはクリミア半島をオスマン帝国から奪い、またポーランドをプロイセン、オーストリアとともに分割して、これを消滅させます（図15）。

この18世紀に台頭したプロイセン、オーストリア、ロシアという新興の列強に、イギリス、フランスを加えた5大国が、ヨーロッパの主権国家体制の主軸として国際関係を構築することになります。

第1部
世界史を俯瞰するための通史

第4章
近代

産業革命の始まり――その光と影

近代の始まりを象徴する出来事が、**産業革命**です。世界で最初に産業革命が始まったのは、18世紀半ばのイギリスでした。イギリスでは綿織物工業の分野で様々な技術革新がありました。織機《しょっき》（布を織る機械）や紡績機《ぼうせきき》（糸をつむぐ機械）がその代表ですが、イギリスではこうした機械が次々と実用化されたことで、いち早く産業革命を成し遂げたのです。

さらに産業革命の時代には、蒸気機関という圧倒的なパワーを持つエンジンも実用化されました。産業革命で登場した蒸気機関は、当初は織機などに使用されていましたが、次第に別の機械へと転用が進みます。

例えば、荷車や船に蒸気機関を搭載したらどうなるか？　こうした発想から技術革新が進み、蒸気機関車や蒸気船が発明されます。これによりヒトやモノの移動時間が格段に短縮され、「世界の一体化」がさらに進むのです。これを「交通革命」と呼びます。19世紀になると、エジプトのスエズ運河や北アメリカで最初の大陸横断鉄道が開通し（奇しくもいずれも１８６９年）、さらに海底ケーブルや無線電信が実用化されるなどして、世界の距離はさらに縮まっていきます。

一方で、産業革命により新たな社会階層が登場します。それは**労働者階級（プロレタリアー**

ト）です。労働者は労働の代償として賃金を得るという、従来の奴隷や小作人とは根本的に異なる純粋な労働力です。労働者は資本家と呼ばれる有産市民層に酷使あるいは搾取される場合が大半であり、生活も悲惨なことが多いのです。

この労働者階級は、産業革命と同時に世界規模で広がっていくことになります。こうして各国では必然的に労働問題が取り沙汰されるようになるわけです。そうして資本家や労働者の不平等を是正しようと、社会主義思想が誕生します。

2つの社会主義

ここで社会主義について少し詳しく見ていきましょう。一口に「社会主義思想」といっても、細部を比較すると、かなり多様な思想に分かれていることがわかります。そこで、これらを整理して順番に見ていきましょう。

まず、社会主義思想は大きく2つの系譜に分けることができます。ひとつがイギリス流、もうひとつが大陸流です。この2つの社会主義には、それぞれ固有の特徴があります。

イギリス流から見ていきましょう。イギリスは世界で初めて産業革命に成功した国です。したがって、言い換えれば世界で初めて労働者階級が誕生した国でもあります。労働者の生活は悲惨そのもので、このためイギリスでは、早い時期から労働者の生活や労働環境の改善を訴える運動が目立ちました。

というわけで、イギリスの社会主義の特徴は「労働環境の改善」にあります。これを基に、最終的には20世紀後半の福祉国家政策へと受け継がれるのです。

では大陸流はどうか。大陸流の社会主義の起源は**ルソーの人民主権論**にあります。ルソーの人民主権論は、後で詳しく述べますが、かいつまんでいえば国家や政府といった存在を批判的に捉え、一人ひとりの人間が政治に直接参加して政策を決定することを理想とした主張です。この人民主権論は、のちの知識人たちには「平等社会の建設」として受容されます。

というわけで、大陸流の社会主義の特徴は「平等社会の建設」です。これに産業革命が追い付いてくると、労働者階級を中心とした平等社会の建設が目的とされるようになります。大陸流はさらに2つの傾向に分かれます。要は「どうやってその平等社会を作るか」、その手法・方法をめぐって分かれるんですね。これがドイツ流とフランス流です。

では、以上の過程をまとめましょう。

社会主義の系譜

①イギリス流……産業革命／労働者が世界で初めて誕生→労働環境の改善が目的

⬇20世紀後半に福祉国家化：「ゆりかごから墓場まで」

②大陸流……ルソーの人民主権論が起源→平等社会の建設が目的
⬇平等社会の実現をめぐりドイツ流とフランス流に分派
(a)ドイツ流……労働者（プロレタリア）の革命による実現を目指す＝マルクス主義
⇓一方で選挙を通じて合法的に政権を掌握しようという修正主義（＝社会民主主義）が派生
(b)フランス流……労働運動、なかでも全国規模の運動（ゼネラル＝ストライキ）による社会変革を目指す＝サンディカリズム（19世紀後期）

環大西洋革命と七年戦争

イギリスで産業革命が本格化すると同時に、ヨーロッパでは革命騒動が広がります。というより、この革命騒動はヨーロッパだけでなく南北アメリカ大陸にも広がり、非常に広い地域を巻き込むのです。具体的には、

①アメリカ独立革命（独立戦争）……１７７５〜83年
②フランス革命とナポレオン戦争……１７８９〜１８１５年
③ラテンアメリカの独立運動……１８０８〜30年

④七月革命（1830年）と二月革命（1848年）

を指します。そしてこれらの革命運動は、相互に強い相関性と連続性が認められるため「環大西洋革命」と呼ばれてまとめられることもあります。

この一連の革命の原因となったのが、1756～63年の七年戦争でした。七年戦争は近世でも解説しましたが、第二次英仏百年戦争の決戦となった戦争でした。この戦争は当時の列強がすべて参加し、さらに戦場がヨーロッパだけでなく北アメリカやインドにまで飛び火したため、さながら世界大戦のような様相を呈した一大戦争でもあったのです。

七年戦争は、その規模だけでなく与えた影響もまた大きなものでした。まず、この戦争でオーストリア・フランス・ロシアといった大国と戦いかつ国土を守り抜いたのがプロイセンです。プロイセンの君主はあのフリードリヒ大王で、大王の指導と運（戦争末期にロシアがプロイセン側に寝返ります）により、プロイセンは列強としての地位を確立します。これによりヨーロッパは5大国が並び立つ列強体制（主権国家体制）が確立します。

同時にイギリスとフランスは、共通してあるものが問題となりました。それが多大な戦費です。何といっても世界規模で、しかも7年間にわたり戦ったわけですから、その額が膨大であろうことは想像に難くないと思います。この戦費をめぐり、イギリスとフランスでは以下の政策がなされます。

①イギリス……戦費回収のために北アメリカ植民地で増税⇓入植者の本国への反感が強まる

⬇アメリカ独立革命が勃発

②フランス……財政難の深刻化により財政改革に着手しようとするも、特権身分の反対により挫折

⬇フランス革命が勃発

というわけで、七年戦争はアメリカ独立革命とフランス革命の原因、ひいては環大西洋革命をもたらすことになったのです。

フランス革命の勃発

さて、この環大西洋革命で最も重大な影響を与えたものといえば、間違いなくフランス革命でしょう。発端となったアメリカ独立革命もその重要性は否めませんが、それですらフランス革命の前座といった見方もできてしまうのです。このフランス革命では、フランスさらにはヨーロッパ全土に広がる様々な改革がなされます。

フランス革命は慢性的かつ深刻な財政難にあえぐ、ブルボン朝の末期に勃発しました。あ

まりに財政難が深刻であったことから、国王ルイ16世（位：1774～92）が財務大臣に任じたネッケルは、特権身分への課税を提案します。

特権身分とは、第一身分（＝聖職者）と第二身分（＝貴族）を合わせた呼び名であり、彼らはこの課税案に猛反発します。そもそも彼らに認められた「特権」の最たるものが免税特権だったわけですから、自分たちの利権を脅かされまいと躍起になったのも不思議ではありません。

しかし免税特権を認められていない、すなわち納税を課されていた平民たちは、悲鳴を通り越して断末魔の叫びを上げます。この納税身分は第三身分と通称され、特権身分が合わせて人口全体の2％ほどなのに対し、残る98％がこの第三身分にあたります。ルイ14世の治世から続く財政難と重税に、第三身分はもはや限界寸前だったのです。

1789年、175年ぶりとなる三部会が開かれました。三部会とは、中世以来のフランスの身分制議会です。今回開かれたその目的は、特権階級への課税案を廃止に追い込むこと。この三部会では当然のように、課税案の廃止が決議されました。しかし、そもそもこの三部会の決議方法は第三身分に不利であり、このため第三身分の議員たちは、三部会とは別に独自の議会を開くことにしました。これが国民議会の結成です。

国民議会の目的とは、イギリスのような立憲国家を目指す憲法の制定にありました。こうして国民議会の動きが活発になると、パリの市民たちもこれに刺激され、1789年7月14日、王政の象徴であったバスティーユ牢獄に殺到します。この報を受けたときの国王ルイ16世と家臣のリアンクール公のやりとりはよく知られています。

ルイ16世「なに、暴動か？」
公爵　「いいえ陛下、これは革命です！」

このバスティーユ牢獄の襲撃をもって、フランス革命が勃発したと見なします。

革命政府の改革――痛みをともなった近代化

首都パリでの革命勃発は思わぬ事態を引き起こします。農村でも農民たちが一斉に蜂起したのです。しかし、この蜂起はむしろ暴動あるいは民衆パニックと呼ぶほうがふさわしいといえるもので、フランス全土に瞬く間に広がったこのパニックは「大恐怖」と呼ばれます。領主の館が襲われ、各地で農民による略奪が相次ぎました。

これに一番困ってしまったのが革命政府、すなわち国民議会です。そもそも当時のフランスの人口で、最も多い割合を占めるのは農民たちで、およそ85％にも達します。この農民たちの租税（年貢にあたる土地税）が、フランスの中心的な財源でした。

そこで国民議会は、税収を確保するためにも地方の「大恐怖」を沈静化する必要がありました。こうして国民議会は、「封建的特権の廃止」を宣言します。これは一口にいえば、教会を含めた領主の特権を廃止するもので、これを機に革命政府の政策はやや急進化します。

ともあれ国民議会は、いよいよ憲法の制定に動き出します。バスティーユ襲撃から1カ月後、国民議会は革命の理念を表す「人権宣言（人間および市民の権利の宣言）」を採択します。この人権宣言では、自由・平等・人民の抵抗権などの**自然権**が確認され、ほぼ憲法に相当するものといえます。

しかし、革命の船出は多難なものとなります。1791年にフランス初の憲法となる1791年憲法が制定されます。この憲法は先の人権宣言を下地に、立憲君主政を目指した内容になりました。そして1791年憲法の制定により国民議会はその役割を終え、憲法のもとに制限選挙が実施され、新たに立法議会が招集されます。

立法議会では国政をめぐる内部対立が絶えませんでした。その最大の焦点が、国王ルイ16世の処遇です。ルイ16世は1791年に、ヴァレンヌ逃亡事件という亡命未遂事件を起こしており、国民の信頼が失墜していました。この事件をきっかけに、ジャコバン＝クラブという政治クラブから、様々な党派が分離することになります。その諸党派は、次のように分類できます。

①立憲君主派……ルイ16世の処刑に反対、立憲君主政の維持を目指す
⬇自由主義貴族からなるフイヤン派が、ジャコバン＝クラブより離脱して中心的な役割を担う
②共和派……ルイ16世の処刑に賛成、共和政を目指す
(a)ジロンド派……ブルジョワ（資本家）を支持母体にジャコバン＝クラブを脱退、主戦派
(b)ジャコバン派（山岳派）……サンキュロット（無産市民）を支持母体とする急進左派

翌1792年に政権を握ったのは、ブルジョワの支持を受けるジロンド派でした。ジロンド派内閣はルイ16世に、オーストリアへの宣戦に同意させます。オーストリアは王妃マリ＝アントワネットの出身国であり、フランスの王党派や亡命貴族（エミグレ）を支援していたため、これを断つことを目的としたのです。オーストリアへの宣戦により、フランス革命戦争が勃発します。

しかしこれは、結果としては「悪手」でしかありませんでした。フランスは各地で連敗を喫し、かえって危機的な状況を招きます。革命戦争の大勢は劣勢のままであり、緊迫した空気が国内にも漂います。

状況が差し迫るなか、市民らは「8月10日事件」を起こします。国王一家が軟禁されているテュイルリー宮殿を襲撃し、警備兵と市民の双方に多数の死傷者を出しました。この事件を機に王権の停止が立法議会で宣言され、同時に立法議会は解散に追い込まれます。ルイ16世一家はタンプル塔という監獄に移され、幽閉されました。

立法議会の解散を受け、フランスでは世界初となる男子普通選挙が実施され、これにより新たに選出された議員らが共和政議会を打ち立てました。この議会を国民公会といいます。国民公会でもジロンド派が引き続き政権を握り、1793年の年明け早々に、ジロンド派政権はルイ16世を処刑します。

ルイ16世の処刑は、ヨーロッパ諸国の警戒心をより一層煽ることになりました。「今のうちにフランスの革命を潰さないと、うちの国もどうなるかわからん」とばかりに、イギリスを中心にオーストリア、プロイセン、スペイン、オランダなどが参加して同盟が組まれました。第一回対仏大同盟の結成です。

追い詰められたジロンド派政権は、フランス初となる徴兵制の導入を決定しますが、これは各地で反対一揆を引き起こすことになりました。この状況をうまく利用したのが、ジャコバン派（山岳派）でした。ジャコバン派はサンキュロットと呼ばれた無産市民らを煽り、ジロンド派政権を非難したのです。こうして1793年にジャコバン派（山岳派）の政権が成立します。通称ジャコバン政権と呼ばれるこの政権では、最終的に独裁政権の性格が強まります。

このジャコバン独裁の中心人物が、ロベスピエール（1758～94）でした。ロベスピエールはジャコバン派内部も含む反対派への容赦ない弾圧を繰り広げ、この政策は「恐怖政治」と呼ばれ恐れられました。ロベスピエールは1794年のテルミドール9日のクーデタにより逮捕・処刑され、これによりジャコバン政権も崩壊します。

フランス革命では、確かに様々な近代化改革が打ち出されました。しかし、その多くは実行されなかったり、あるいは急進的すぎて社会的混乱を招いたりといった結果に終わりました。フランスの近代化は、革命の混乱によって多大な痛みをともなうものでした。しかしこの革命期の混乱のなかで、フランスに**国民意識**と**ナショナリズム**が徐々に定着していくことになったのです。この両者については第Ⅱ部で詳しく述べます。

ナポレオン戦争

ロベスピエールとジャコバン派の政権が倒れても、フランスの危機的な状況は一向に変わりませんでした。1795年に、新たに5人の総裁からなる総裁政府が発足しましたが、国内の経済的混乱は収まらず、対仏大同盟軍は国境地帯に押し寄せています。こうしたなかで台頭したのが、ナポレオン＝ボナパルト（1769〜1821）でした。

総裁政府で軍の総司令官に任命されたナポレオンは、まずイタリアでオーストリアを撃破し、第一回対仏大同盟を崩壊させます。さらにイギリスとインドの通商路を遮断するため、オスマン帝国領のエジプトに遠征しますが、これはイギリスが第二回対仏大同盟を結んだことで本国が危うくなったため、帰国を余儀なくされます。

エジプトから帰国したナポレオンは、ブリュメール18日のクーデタを起こして総裁政府を倒し、代わって統領政府を発足させ、自らその第一統領に就任します。ナポレオンはローマのカエサルのように着実に権力を掌握しながら独裁を強め、ついには1804年に、国民投票により皇帝に即位します。ナポレオンの皇帝即位を受け、ヨーロッパ諸国は三度《みたび》同盟を結成し、イギリス、オーストリア、ロシアなどにより第三回対仏大同盟が成立します。

ナポレオンはこれを受けて立ち、ヨーロッパに攻勢を仕掛けます。しかし先に動いたのはイギリスで、トラファルガーの海戦でフランス海軍に勝利し、制海権を握ります。これによりフランスはイギリス本土への上陸を諦めざるを得なくなりました。一方、陸戦ではナポレオンは圧倒的な強さを見せます。アウステルリッツの戦いではオーストリア・ロシア連合軍に勝利し、さらにイエナ・アウエルシュテットの戦いでロシアとプロイセンも追い詰めます。

こうしてナポレオンは、1808年までにヨーロッパの大半を制覇するまでになります（図16）。しかし、ここでナポレオンにとって思わぬ事態が生じます。ナポレオンは占領地でフ

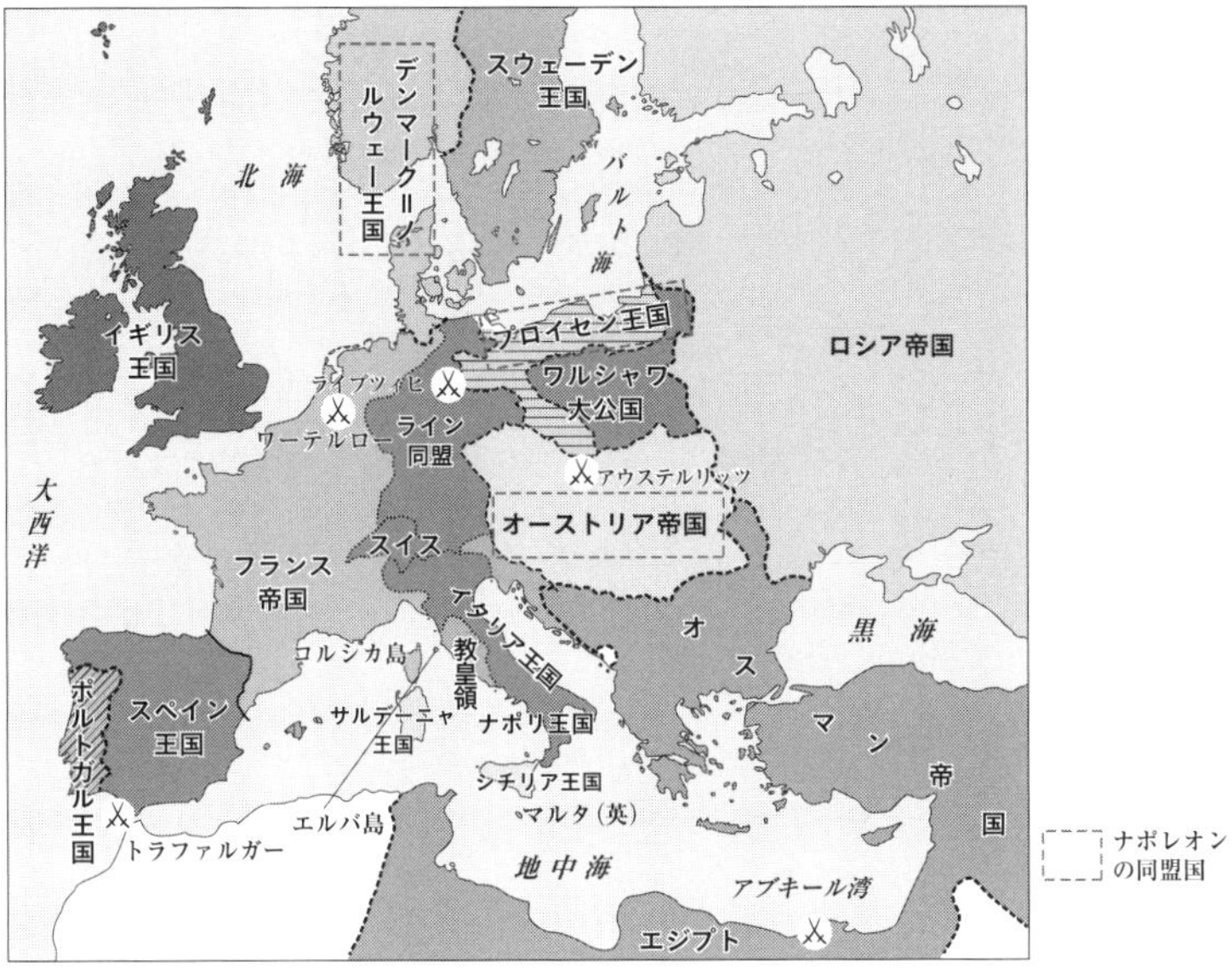

図16　ナポレオン統治下のヨーロッパ（1810年）

ランス革命と同様の改革を進めますが、これにより**国民意識**や**ナショナリズム**が各地で芽生え、かえってナポレオンのヨーロッパ支配への抵抗を強めることになったのです。

1812年にナポレオンはロシアに遠征しますが、この遠征は悲惨な結果に終わりました。ロシア遠征の失敗を受け、ヨーロッパ各地は反ナポレオンを合言葉に一斉に挙兵し、ついにナポレオンは皇帝の座から降ります。ナポレオンはエルバ島に配流されましたが、まもなく皇帝に復帰して再起をかけます。しかし、これもワーテルローの戦いに僅差で敗北し阻まれます。そしてついに大西洋のセントヘレナ島に配流され、この地で生涯を終えるのです。

ナポレオンにより引き起こされたこの一連の戦争はナポレオン戦争と呼ばれ、ヨーロッパ諸国にとっては未曾有の大戦争となりました。さらに、ナポレオンのヨーロッパ制覇を受けて、ヨーロッパ各地に国民意識やナショナリズムが定着し、戦後に民族運動を生じさせることになるのです。

ウィーン体制から帝国主義へ

ナポレオン戦争という未曾有の大戦争を経験したヨーロッパ諸国は、その再発防止のために新たに主権国家体制（勢力均衡）を組みなおします。この19世紀前半の主権国家体制をウィーン体制と呼びます。ウィーン体制では、ナショナリズムや国民・民族運動といった運動は、列強が一丸となって鎮圧するといった対応で一致しました。ナショナリズム運動や民族運動が、新たな大戦争の火種になると危ぶんだのです。

しかし、ナポレオン戦争で一度火がついたナショナリズム運動は簡単には消えませんでした。ウィーン体制下のヨーロッパでは、1830年の七月革命、そして1848年の「諸国民の春」という2度にわたるナショナリズム運動の再燃を見ました。これによりウィーン体制は1850年までに事実上崩壊します。

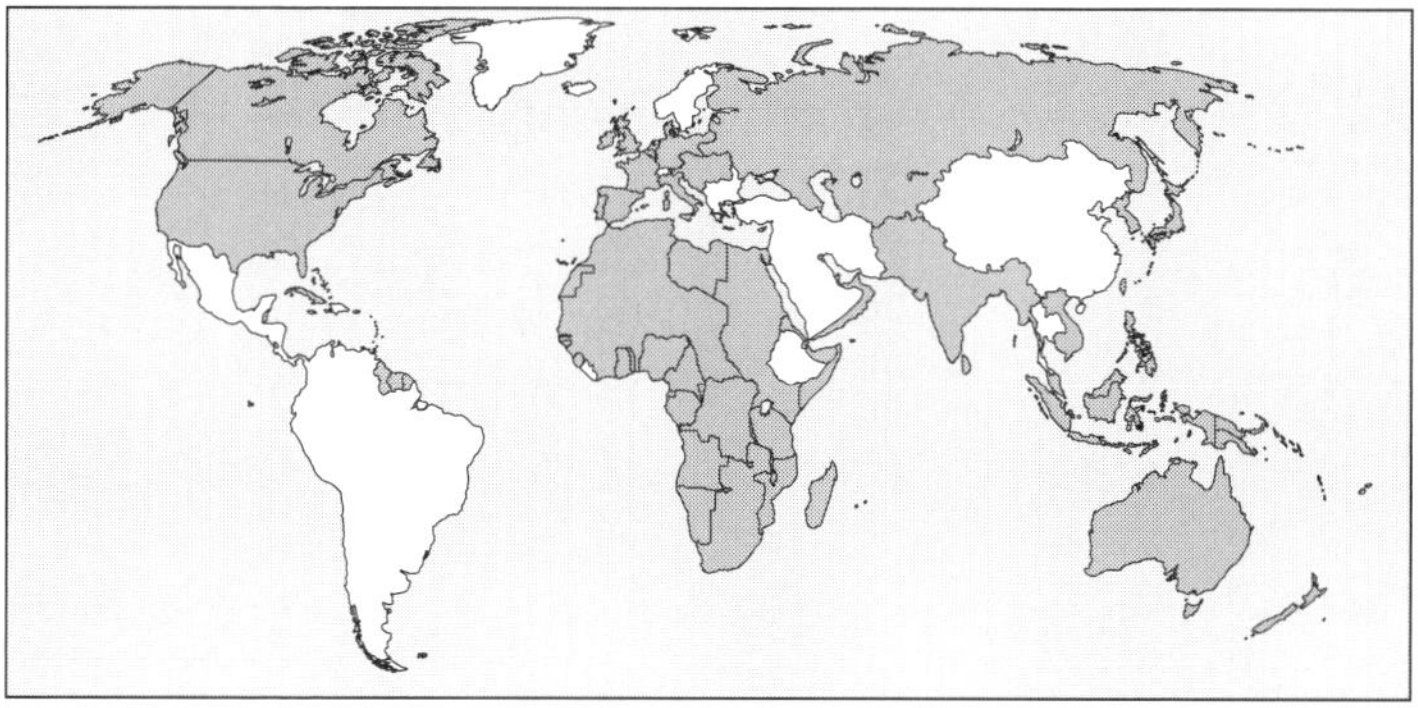

図17　帝国主義列強の支配地域（グレーに塗られた部分、1912年）

なかでも運動が活発であったのが、イタリアとドイツでした。イタリアとドイツは中世から政治的な分裂が続いており、ナショナリズムに触発されたイタリア人やドイツ人が、統一国家すなわち国民国家の建設を熱望するようになりました。ウィーン体制の崩壊、さらにはナポレオン戦争以来の列強同士の国際戦争となったクリミア戦争（1853〜56）で主権国家体制が再編に直面すると、この間隙を突くようにして両地域の統一運動が進行するのです。

イタリアは1861年にサルデーニャ王国によって、ドイツは1871年にプロイセン王国の首相であったビスマルク（1815〜98）によって、それぞれ統一が達成されます。

イタリアとドイツという新たな国民国家の出現により、ヨーロッパの国際関係は新たな局面を迎えました。なかでもドイツは、19世紀末期までに工業生産で、「世界の工場」と呼ばれたイギリスを追い抜くなど急速な工業化を遂げます。

またアメリカ合衆国も南北戦争が終結し、西部開拓が１８９０年までに完了したことで、重工業を中心に工業化がより促されます。アメリカ合衆国の場合は、広大な国土と市場に比べ労働者の人口が少ないため、これを補うために大規模な機械化がなされたことに特徴があります。１９００年時点で、アメリカ合衆国は世界最大の工業国にのし上がりました。

工業化を達成した欧米、さらには日本を加えた列強諸国は、海外市場を求めて世界各地を植民地として分割します。19世紀後期のこの現象を、帝国主義と呼びます（図17）。しかし、世界の市場すなわち土地には限りがあるため、帝国主義は必然的に列強諸国の対立をより一層深刻化させました。

アジアの植民地化

欧米列強が海外植民地を求めたこの世界分割の波に、18世紀までは繁栄を誇っていたアジア諸国が巻き込まれていきます。

イスラーム最後の世界帝国であったオスマン帝国では、19世紀前期に属州であったエジプトが事実上の自立を果たし、さらに１８３８年にトルコ・イギリス通商条約を結びます。この条約は、のちに幕末の日本が結んだ日米修好通商条約の先駆けといえる不平等条約です。

これと同様の不平等条約をオスマン帝国は欧米列強諸国と結んだため、オスマン帝国の経済は欧米諸国の影響力が強まります。

なかでもオスマン帝国と北で国境を接するロシアの圧力は見逃せません。ロシアは16世紀からしばしばオスマン帝国と戦争を繰り広げていましたが、19世紀以降はボスフォラス海峡とダーダネルス海峡を抜けて地中海へと到るルートの確保を最大の目的としてオスマン帝国に進出します。このロシアの一連の勢力拡大は「南下政策」と呼ばれます。その典型例が、クリミア戦争（１８５３～56）でした。

これと前後してオスマン帝国では西洋式の近代化改革が始まります。この改革はタンジマート（１８３９～76）といい、この一連の改革でオスマン帝国では、信教に関係なく帝国の全臣民に生命・名誉・財産を保障し、人口調査や州議会の設置などがなされました。その白眉となったのが、１８７６年のミドハト憲法（オスマン帝国憲法）の制定で、これはアジア初となる西洋式の近代憲法でした。

しかしタンジマートは列強の資金援助により遂行された改革でもあり、そのためオスマン帝国の列強に対する経済的な従属はますます強まることになりました。

一方で中国の清朝は、18世紀からイギリスとの茶貿易で巨利を得ていましたが、銀（当時の国際通貨でした）不足に陥ったイギリスはインドでアヘンを栽培し、これを清に密輸します。今度はイギリスがアヘン密貿易で巨利を得ると、清はアヘンを一斉に取り締まり、これがアヘン戦争（１８４０〜42）の原因となります。

アヘン戦争やアロー戦争（１８５６〜60）、さらにはロシアの南下が加わり、清は列強によって徐々に蚕食《さんしょく》されるようになります。清は20世紀までに列強によって半植民地の状態に置かれ、各地の経済利権を列強諸国に奪われました。

欧米列強の圧力が強まると、これに反発した民衆が大規模な暴動を起こします。なかでも最大規模のものが、義和団《ぎわだん》という秘密結社を中心に引き起こされた義和団事件です（１９００〜01）。この義和団事件は、当時世界で列強と見なされた8カ国、すなわちイギリス、フランス、ドイツ、オーストリア、ロシア、イタリア、アメリカ、日本の共同出兵により鎮圧されます。

義和団事件を機に、清でもいよいよ近代化改革の必要性に迫られ、光緒《こうしょ》新政（１９０１〜08）と呼ばれる近代化改革が始まります。しかし、この改革は十分な効果が上がらず、最終的に１９１１年に辛亥《しんがい》革命が勃発し、清朝は滅亡することになります。

2度の世界大戦から現代世界へ

19世紀の後期から列強による世界分割が過熱すると、次第に列強による主権国家体制も再編が進むことになりました。

とりわけドイツでヴィルヘルム2世（位：1888〜1918）が皇帝に即位すると、彼は「世界政策」の名のもとに積極的に海外進出を推し進め、これが列強諸国の警戒心を呼び起こします。ドイツはすでに1882年からオーストリア＝ハンガリーとイタリアとともに三国同盟を組んでいましたが、ドイツに対抗してイギリス・フランス・ロシアが接近し1907年には三国協商が成立します。

こうして20世紀初頭のヨーロッパは、三国同盟と三国協商によって事実上二分されました。そしてまもなく、この両者が激突します。それが第一次世界大戦です。第一次世界大戦は史上初の総力戦でした。総力戦とは、文字通り国力のすべてをつぎ込む戦争です。軍事や経済はもちろん、政治、果ては外交までもが、戦争遂行のために総動員されるのです。なかでも第一次世界大戦中にイギリスなどにより主導された秘密外交は、今日の国際紛争の火種となったことは有名です。

また第一次世界大戦のさなかの1917年にロシア革命が勃発し、ロシアに史上初の社会主義国であるソヴィエト社会主義共和国連邦（ソ連）が1922年に成立します。ロシア革命に対しては、列強諸国が対ソ干渉戦争を起こしてソヴィエト政権の打倒を図ったため、ソ連はしばらく国際的な孤立が続くことになります。

1918年に第一次世界大戦が終結すると、パリ講和会議が開かれます。この会議によって、新たな国際体制であるヴェルサイユ体制が形成されます（連合国とドイツが結んだヴェルサイユ条約にちなむ名称です）。しかしこのヴェルサイユ体制も従来の主権国家体制、すなわち勢力均衡の焼きなおしに過ぎず、1923年には早くも破綻の兆しが現れます。とりわけ敗戦国となったドイツに対する過酷な処遇は、その後も禍根を残すことになります。

その破綻の兆しとなった事件が、ルール占領でした。ヴェルサイユ条約によって莫大な賠償金を課されたドイツは、戦後の経済不振で賠償金の支払いが滞ってしまい、これを口実にフランス・ベルギーがドイツのルール地方を軍事占領したのです。このルール占領は、再びヨーロッパで大戦が勃発しかねない危機的なものでした。

これを反省した国際社会は、1925年にロカルノ条約を結び、ドイツを国際社会に復帰させます。またこのロカルノ条約により、ヴェルサイユ体制に代わる新たな国際体制であるロカルノ体制が成立します。これは従来の主権国家体制ではなく、世界史上初となる集団安全保障体制であり、今日の国際社会の基本原則でもあります。

ドイツは賠償の条件が漸次的に緩和され、さらにアメリカの融資を受けながら経済復興を進め、フランスやイギリスに賠償金を支払うというシステムも構築されました。しかし、1929年にアメリカで株価が大暴落し世界恐慌が発生すると、アメリカから資金援助を受けていたドイツやヨーロッパ諸国も次々と不況の波に呑まれてしまいました。こうしたなかで、広大な植民地を持つイギリスやフランスがブロック経済を形成し、植民地を持たないあるいは矮小なドイツ、イタリア、日本では、ファシズム政権が台頭し全体主義体制が成立すると、第二次世界大戦に突き進んでいくのです。

第二次世界大戦が終結すると、アメリカ率いる資本主義陣営とソ連率いる社会主義陣営が対立する「冷戦」が始まります。しかし、アメリカはベトナム戦争（1965～75）により国際社会における指導力が弱まり、一方、ソ連も社会主義経済が行き詰まり、一党独裁による官僚制の硬直化によって次第に国力が低迷します。

こうした情勢を受け、20世紀後半から世界は多極化を極めます。またインターネットの登場に代表される「世界の一体化」ないしはグローバル化が注目を集めるようになります。しかし、これらは何も近代だけに原因があるわけではありません。確かに近代から「世界の一体化」がより一層急速に進んだのは事実ですが、それ以前の歴史という人類の歩みが前提にあることを忘れてはいけません。

古代から連綿と続く様々な出来事が絡み合った結果、私たちの生きる今日の世界が形作られたのです。

第Ⅱ部
時代区分から読み解く歴史の本質

第1章
古代とは？

「世界史で苦労した」……私は何度となく、この言葉を耳にしてきました。受験生のみならず、社会人であっても相当数の方々が、口をそろえるかのようにおっしゃるのです。ではなぜ、多くの人々は世界史で苦労してきたのでしょう？　大半の方々はこう答えるはずです。「とにかく暗記がしんどかった」と。確かに、こと大学受験の世界史は、覚える用語が多いといわねばならないでしょう。また、これらの用語を闇雲に覚えたところで、世界史の本質には至らないのです。ましてや、本書で世界史を学びなおしてみようというみなさんであれば、なおさらです。

世界史を学ぶうえで重要なポイントは、用語の暗記ではありません。これは大学受験であっても、同様です。さらに、みなさんの多くは、用語を暗記することに神経を集中してきたせいで、実は世界史の根幹を支える「あるもの」が理解できていない恐れがあるのです。では、その「あるもの」とは、いったい何でしょうか。

その前に、いきなりですが、おそらくみなさんを困惑させるキークエスチョンから。

問1．「古代」とは何か？　簡潔に説明せよ。

「いや、いきなりそんなことといわれても……」と戸惑われた方が大半ではないかと思います。実はこの質問の意図は、「わかっているつもりでいて、実はよくわかっていないこと」を明らかにすることです。とにかくこういった「実はよくわかっていないこと」、いうなれば「概念」が把握されないまま学習が進んでしまうことに、世界史という科目の問題があります。だから何だと思われるかもしれませんが、この「概念」の理解がとにかく重要なのです。この「概念」の理解なくして世界史を学ぶことは、端的にいうと「公式を理解しないまま数学の問題を解く」ようなことです。「概念」は世界史の公式にあたります。そしてこの「概念」が、先ほど述べた「あるもの」に他ならないのです。

本書はこうした「概念」を、読者のみなさんと一緒に考えていくことを目的としています。世界史では、考える、すなわち思考力を鍛える作業が相当に必要です。しかし、多くの読者は、世界史＝暗記という考えが刷り込まれて、世界史で「考える」ということをあまりしてこなかったかもしれません。「だからこそ」です。みなさんに考えていただくためのきっかけとして、キークエスチョンを用意しました。みなさんと一緒に考えながら、ぜひ世界史の根幹あるいは本質に触れてほしいと考えます。本書を読み終わる頃には、今まで味わったことのない知的興奮に満たされることでしょう。

1 そもそも時代区分とは？ ——「特徴」＝「システム」

では最初の問いに戻りましょう。

【再掲】問1．「古代」とは何か？　簡潔に説明せよ。

この問いに答えるには、まず「古代」だけでなく、「中世」「近世」「近代」といった「時代区分」について考える必要があります。時代区分とは文字通り「時代を分けるもの」、すなわちここでは「古代」「中世」「近世」「近代」といった各時代の名称を指します。

この時代区分のポイントは、「共通の特徴」で区分されているということです。

さらに注目すべきは、「古代」や「中世」が必ずしも同じ長さの時間ではない、ということです。例えば教科書に従えば、古代の期間は3500～6000年ですが、これに対して中世は、わずか1000年足らずです。

そもそもこの「時代区分」は、現代人（とくに歴史に携わる人間）が便宜的に使用しているものに過ぎません。古代の人々が、「ぼくは古代人です！」といったように考えていたわけではないことは容易に想像できますよね。古代人にとって、彼らの活躍した時代は、彼らにとってはあくまで「現代」です。これはどの時代の当事者にも同じことがいえます。

では、時代を区分するメリットとは何か。それはいうまでもなく、現代人である私たちが、各時代を捉えやすくするためです。そのため、時代区分の設定や定義は、「どこでどう区切るか」「何をもって○○という時代と見なすか」「他の地域や文化圏に当てはめるとどうなるか」など本当に多様です。そこで本書では、高等学校・大学受験の世界史に則して、歴史上の出来事が持つ「特徴（キャラクター）」を時代区分の基準とします。この「特徴」は各時代が持つ「癖」のようなもので、この「癖」をつかむことで、それぞれの時代が捉えやすくなるはずです。

また、この「特徴」は「システム」と言い換えることもできます。「システム」とは、ひとつのまとまりを指します。世界史にもひとつのまとまり（＝システム）があり、さらにいえば「世界史の出来事は最終的に何らかのシステムに収斂《しゅうれん》する（まとまる）」のです。そして先ほど述べた、各時代の「特徴（キャラクター）」は「システム」というまとまりでもあります。つまり、「世界史の出来事は、最終的にひとつの特徴にまとまる」ということです。

古代から世界の様々な出来事は、驚くほど強い相関性があります。

とりわけユーラシア大陸（ここではヨーロッパとアジアを含んだ地域）はその傾向が顕著

です。このユーラシア規模、あるいは世界規模での様々な地域の交流やネットワークにより、各地の国家の盛衰が大きく左右されることも決して少なくはないのです。

高校や受験の世界史では、「ヨーロッパ史」や「中国史」といった、国ごと・地域ごとの歴史を「タテの歴史」と通称しているのに対し、このようなユーラシア規模での様々な地域のつながりを「ヨコの歴史」と呼んでいます。この「ヨコの歴史」に対して、初学者はもちろん、受験生ですら、苦手意識を持っている人はかなり多いといえます。

だからこそ、世界史で最終的にまとまる特徴（＝システム）をつかむことで、「ヨコの歴史」をはじめ、今までなかなか注目しづらかった様々な側面にも注意が向くはずです。本書では各地の個別の事象よりも、まずは大枠で世界史を捉えなおすことで、それぞれの時代や地域をつなげていきます。

ですから、まずこの第Ⅱ部では、各時代を捉える特徴から、それぞれの時代区分がどのような時代であったかを順番に見ていくことにします。

ではようやくですが、冒頭の問いの解答を。

問1．「古代」とは何か？　簡潔に説明せよ。
正解1．「世界帝国の時代」である。

2 都市国家と領域国家

さて、「古代とは世界帝国の時代である」とはどういうことでしょうか。まずは、この「世界帝国」について詳しく見ていきましょう。「世界帝国」とは、古代における国家の最終形態のことです。「古代」という時代区分では、基本的に以下のような過程を経て国家が形成されます。

①都市国家　⇓　②領域国家　⇓　③世界帝国

「部族」から「国家」へ

そもそも「国家」とは何でしょうか。ここでは、「何らかの政治的な指導者に率いられている集団」としましょう。ここで注意してほしいのが、「指導者」は必ずしも1人とは限らないことです。

人間の集団の最小単位は「家族」あるいは「血族」です。この家族を基盤として生活を共にする集団を「部族」といいます。部族ではその構成員（メンバー）全員が話し合う（いわば協議して合意を得る）ことで、部族の行く末を決めていました。

ところが人間が、おもに農耕や牧畜のため、次第に定住するようになると、「村落（ムラ）」が形成されます。村落には、血縁関係のない赤の他人の家族も加わり、人口が増加します。こうなると、村落の住民全員を集めて話し合うことが難しくなります。

そこで、村落の代表者が現れ、村落の行く末＝政策を決めるようになります。代表者は1人のこともあれば複数人のこともありますが、この代表者（あるいは代表団）は、だんだんと他の仕事から距離を置き、村落の政策に専念するようになります。このように、政策に専念する代表者あるいは代表団は「政治的な指導者」となり、この「政治的な指導者」を「政府」と呼びます。

ですから、国家とは「政府を備えた人間の集団」とも捉えることができます。また実際、国家と政府は表裏一体の関係にあるとはいえ、明確な区分はしづらいと私は考えます。そこで、本書ではあえて「国家」と「政府」を区別せず、同じような意味を持つ言葉として扱います。

村落から都市国家へ

国家の概念を押さえたうえで、古代における国家の段階を、順を追って見ていきます。まず①都市国家について。都市国家とは文字通り、ひとつの都市がそのまま国家として機能している集合体をいいます。そもそもこの都市、ひいては都市国家こそが、世界史上で最初に登場する国家なのです。いわゆる「四大文明」（中東のエジプト文明とメソポタミア文明、インド亜大陸のインダス文明、そして中国文明のことです）の興った各地域では、いずれも様々な都市国家が形成されました。

ちょっとここでサブクエスチョンを。「村落（ムラ）」と「都市」の違いは何かわかりますか？　世界史では答えは単純です。正解は、「都市には城壁がある」です。世界史に登場する前近代の都市の多くは城壁を備えています。シュメール人の都市国家、古代中国の邑《ゆう》、ギリシアのポリス、中世ヨーロッパ都市などは、いずれも周囲を城壁で囲った「城郭都市」といえるものです。また、これらの都市は周辺の村落が集合して形成されることも特徴に挙げることができます。古代ギリシアでは、村落が集まってポリス（都市国家）を形成することを「集住（シュノイキスモス）」ととりわけ称しますが、これは何もポリスの場合に限ったことではありません。

都市国家という部族社会

また、これら都市国家の社会構造は、部族社会の延長上にあったといえます。

都市国家と部族社会の好例が、古代ヨーロッパにおけるギリシアのポリスとゲルマン人です。古代ギリシアのポリスでは、市民（ここでは自由民、すなわち奴隷ではないエリート層）が「民会」という政治集会に出席して政治に参加していました。また、古代のゲルマン人たちは部族会議（こちらも「民会」と呼ばれます）を開いていました。この両者の性質、すなわち「自由民が直接、政治に参加する」という仕組みにほとんど違いはありません。

さらに両者に共通するのが、「民会」の出席条件に「軍役」が求められたことです。ギリシアのポリスでは、自らの財産で武器や鎧をそろえ、ポリスのために戦うことが参政権の条件とされました。武装した市民を重装歩兵といいますが、逆にいえば、重装歩兵にならない限りは参政権を与えられず、「市民」として認められない、ということでもあります。一方、ゲルマン人の部族社会でも、「民会」への出席条件は、長老の従士となって戦場で戦うことで、自由民たちは武装して「民会」に出席しました。

ギリシアのポリスの伝統は、のちにローマに受け継がれ、ヨーロッパ南部（フランス、イタリア、スペインなど）のラテン文化圏の元祖となります。また、ゲルマン人はヨーロッパ北部（イギリス、ドイツ、北欧三国など）にゲルマン文化圏を形作ります。現在もヨーロッパは大きく南北で文化圏が分かれますが、にもかかわらず、ポリスという共同体か部族かに関係なく、「参政権は軍役と引き換えに得る」という共通の伝統が、近代まで続くことになります。

古代中国における都市国家である「邑」は、血縁集団を基盤としたものです。中国は文明の黎明期より、他地域と比べても圧倒的な人口を誇っていました。例えば、新石器時代の遺跡である二里頭《にりとう》遺跡（伝説の夏《か》王朝の遺跡ではないかとされています）は、2万人以上が居住していたと推定されており、他の古代文明と比べても圧倒的に人口が多い（おまけに栄えた時代まで古い！）のです。

また、1軒あたりの住居が比較的大きいことや、住宅の数がさほど多いわけではないことから、1世帯あたりの構成人数が多かったことが窺えます。つまり、古代の中国は他地域と比べて大家族が多かったということですね。こうした大家族をまとめるためにも、共通の先祖や本家・分家といった上下関係など、道徳的な価値観が醸成されていったと思われます。

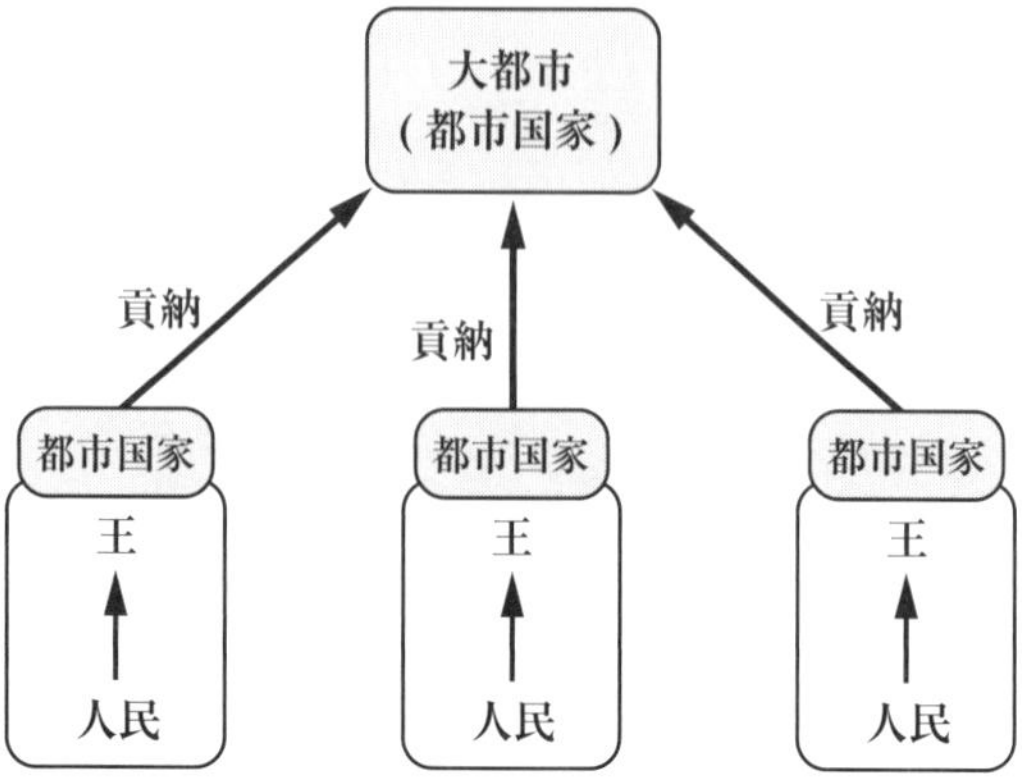

図18　都市国家による支配

都市国家による他の都市の支配

さて、こうして都市国家が各地で割拠するようになると、次第に周辺の都市国家同士で争いが生じるようになります。そのうち強大な都市国家のもとで、周辺の都市国家が平定されていきます。ここで問題なのは、「この強大な都市国家は、どのようにして他の都市国家を支配するのか」ということです。人的資源がまだ十分でなかった古代の黎明期は、征服された都市国家の統治は、これまで通りその地の王や支配層に任されていました。図で表すと図18のようになります。

都市国家が他の都市国家を支配する場合、上位の都市国家が下位の都市国家から貢納（みつぎもの）を徴収することで支配―被支配の関係を構築していました。しかし、地方（下位）の都市国家には、これまでと同じく王あるいは支配層（政府）があるため、地方との支配―被支配の関係は比較的弱いものであったといわざるを得ません。

同様の国家連合は世界各地で多々見られましたが、中国の場合がとりわけ好例です。古代中国では、殷《いん》（商とも）や周といった初期の王朝がこの形態にあたり、大邑（大規模な都市国家）が中小の邑を従えて国家連合を作っていました。したがって、殷や周という名称は、王朝というよりも、都市国家の連合体の名称といったほうが理にかなっています。

周では各地の邑（都市国家）の支配者に王の血縁者（宗族）を封じて「諸侯」（地方の領主を示す一般名詞です）とし、家族道徳を利用して地方統治を確立しようとしました。これを中国史では「封建制」と呼びます（ヨーロッパでも「封建制」が登場しますが、これについてはこの後の第2章で詳しく解説します）。つまり、「本家の家長である王様のいうことに、分家である諸侯は素直に従いなさい」というわけですね。

とはいえ、王や諸侯の世代が代わっていくと、次第に本家（＝王家）と分家（＝諸侯）の一族とのつながりが希薄になり、ついには諸侯たちが「俺が本家に取って代わってやる！」といわんばかりに、全国規模で抗争が激しくなります。これがいわゆる春秋・戦国時代という戦乱の時代をもたらすのです（前770～221）。

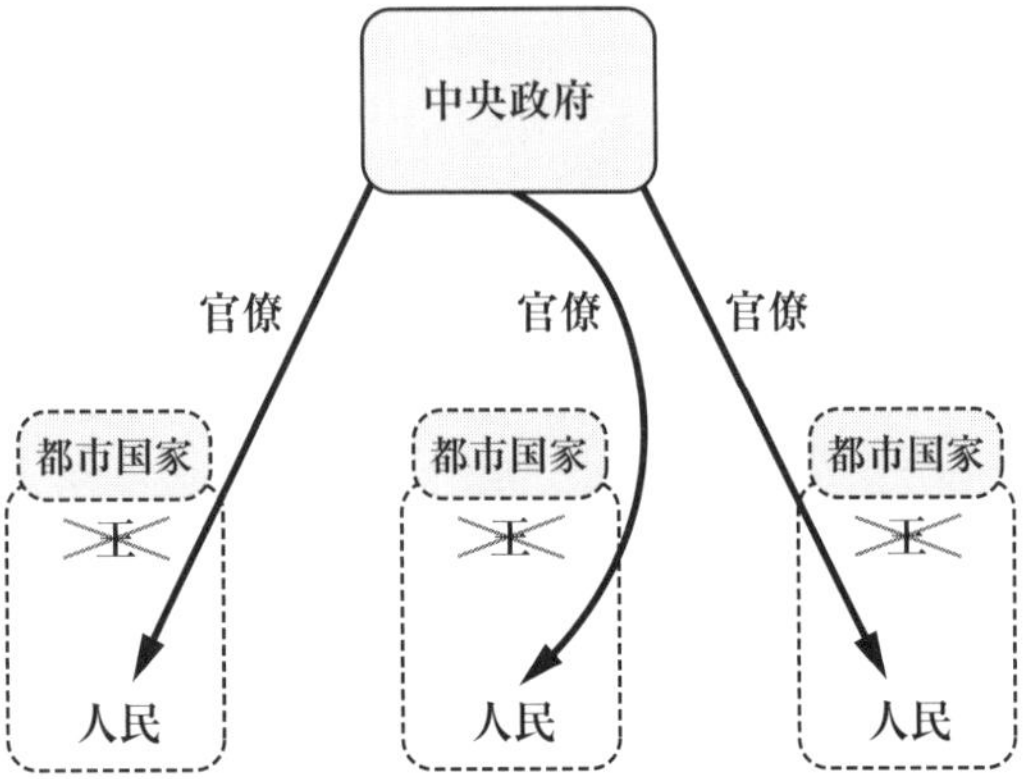

図19　領域国家の支配体制

領域国家の形成

いずれにせよ、「都市国家の連合」のままでは、地方はいつかは分離してしまう運命にあります。そうしたなかで、おそらくオリエント（今日の中東／西アジア）で初めて、新たな地方統治体制が確立しました。この地方統治体制を敷いた次の段階の国家が、②領域国家です（図19）。

中央政府はまず地方の王の権限を奪います。そして、中央政府から直接任命された役人が、地方の人民から直接税を集めます（税といっても、貨幣経済が未発達な時代では農産物などによる物納が主流です）。この徴税ないし地方統治にあたる役人を「官僚」と呼びます。これは社会学者であるマックス＝ヴェーバー（1864～1920）による用法で、近代の官僚は社会契約に基づく「依法《いほう》官僚制」とされるのに対し、前近代の官僚は支配者（王など）や中央政府に従属・隷属して地方を統治する「家産《かさん》官僚制」とされます。この「官僚制」が、冒頭に述べた「新たな地方統治体制」の正体です。

地方統治においてとりわけ最重要課題が徴税、すなわち税を効率よく集めることです。したがって、本書や高等学校・大学受験の世界史の文脈（とくに古代から近世にかけての時期）で「官僚制」といえば、「徴税システム＝中央政府が地方から直接税を集める体制」であると考えれば、基本的に差し支えありません。また世界史で「官僚」は「地方統治にあたる役人、とくに税を集める人」だと思ってもらえれば、ひとまず大丈夫です。

この官僚制を敷いた国家を領域国家、そして中央政府が直接地方を統治する国家に変貌する過程を「中央集権化」といいます。「中央集権化」とは、今回の例でいえば「地方の王の権限を奪う（場合によっては地方の王をクビにする）」ことで、都市国家を解体することを指します。

古代日本と官僚制

古代の日本においても、同様のことがいえます。645年の「大化の改新」です。「公地公民」という言葉に聞き覚えがあるでしょう。公地公民とは、「大化の改新」において、「土地と人民はすべて天皇（あるいは朝廷）が支配する」というものです。具体的には、天皇（厳密には大王）から直接任命された国司という役人が、地方から税を直接集める、という仕組みのことです。

したがって国司などの官職は、世界史でいう「官僚」に相当するわけです（ただし、以上は『日本書紀』の記述に沿ったものであり、現在でも議論の余地はあります）。「公地公民」とは日本における中央集権化のことであり、「大化の改新」に始まる一連の改革が、いわば日本を領域国家へと変貌させることになったのです。

さて、世界史に話を戻しましょう。中央集権化にあたり、もちろん地方の都市国家の支配者たちがおいそれと従ったとは考えにくいです。それ相応の反発があったことは想像に難くありません。だからこそ中央集権化は、様々な国家において非常に困難な課題となるのです。しかし、いったん中央集権化に成功して領域国家となれば、財源が確保され、強力な国家を築くことができるのです。

こうして、「都市国家」が中央集権化により「領域国家」にまとまりました。だんだんとひとつのシステムに、様々な事象が組み込まれていきます。

3 「世界帝国」──古代の集大成

さて、いよいよ③世界帝国です。まずはこの「世界帝国」という言葉の意味するところを紐解いていきましょう。

「王国」と「帝国」の違い？

「世界帝国」は単に「帝国」とも呼ばれます。こと世界史で登場する、前近代の「〜帝国」は、いずれもこの「世界帝国」のことを指します。では、ここで次のキークエスチョンを。

問2.「王国」と「帝国」の違いとは何か？

今回の問題はいかがでしょうか。おそらく、多くの方が「王国は国王、帝国は皇帝か帝王が君主」と答えるかもしれません。これは厳密にいうと少し違います。そもそも帝国は君主がいるとは限りません。例えば、近代の「帝国主義」で世界を分割した列強には、フランスやアメリカ合衆国など共和政の国家、つまり君主がいない国も含まれます。それもそのはずで、本来この「帝国」という言葉には、君主の有無はあまり重要ではないのです。

では正解です。「王国は単一民族の国、帝国は複合民族（多民族）の国」です。「民族」という言葉は定義が非常に厄介ですが、世界史においては、「同じ言語を話す集団」であると捉えてください。例えば中世のデンマーク王国やポーランド王国は、基本的には（中世の）デンマーク語（あるいは古ノルド語）の話者やポーランド語の話者が圧倒的多数であり、ほぼ単一民族の国家といえます。もちろん王国というからには「国王」の存在は欠かせません。

一方で、「帝国」と称される国、アッシリア帝国、アケメネス朝ペルシア帝国、ローマ帝国、モンゴル帝国、オスマン帝国などは、いずれも広域を支配した多民族国家です。試しに、ケンブリッジ英英辞典で「empire」という単語を引いてみると、

a group of countries that is ruled by one person or government

訳すと、「単一の個人あるいは政府により統治されている国家の集合体」となります。すなわち複数の国家（あるいは属州）を内包し、（少なくとも見かけ上は）個人やひとつの政府に統合されている、ということです。

このように、「帝国」には必ずしも個人＝君主が必要というわけではないのです。そして

ここでいう帝国を構成する国とは、他でもない、先ほどまで見てきた「領域国家」のことです。古代世界であれば、「世界帝国」は複数の領域国家が統合されて形成されたものです。

世界各地で領域国家が並び立つようになると、やがてこれらの領域国家を統合する、さらに強力な国家が現れる、それが「世界帝国」というわけです。だからこそ世界帝国は、比較的広域を支配した国家が多くなり、また様々な領域国家を含んでいるため、必然的に多民族国家になるのです。ただし領域国家にもいえることですが、世界帝国は中央集権化が進んでいるとは限りません。なかには今日でいう連邦制国家のように、構成国の発言権が比較的強い場合も見受けられます。

世界帝国の具体例として、

・アッシリア帝国（オリエント世界を統一、史上初の世界帝国）
・アケメネス朝ペルシア帝国（オリエント世界を統一、史上第二の世界帝国）
・アレクサンドロス帝国（ギリシアからオリエントのほぼ全域を支配）
・ローマ帝国（地中海世界を統一）
・イスラーム世界の諸王朝（ウマイヤ朝、アッバース朝などが典型）
・中国の統一王朝（漢、唐、元、明、清が典型）

などを挙げることができます。いずれも、世界史を習ったことのある方であれば、聞いたことのあるものばかりではないかと思います。

問2．「王国」と「帝国」の違いとは何か？
正解2．「王国」は「単一民族の国家」、「帝国」は「多民族の国家」という違いである。

世界帝国のキーワード、「融合」と「普遍」

ここからが本番です。世界帝国によって統合された地域では、ある現象が生じます。これが、世界帝国という国家の特徴を理解するための、いわばキーワードとなるものです。世界帝国は多民族国家だと述べましたが、それだけではこの国家の特徴をつかみ切れていません。もう一歩踏み込む必要があります。多民族国家であるとどうなるのか？　ということです。ここまであえて「世界帝国」、と「世界」という言葉を付けて記してきましたが、これは「多文化を包み込んでいる」というニュアンスを込めているからです。「世界帝国」に生じる「ある現象」（キーワード）、それは「融合」と「普遍」です。

最初に言葉の意味から見ていきましょう。まず「融合」は、いうまでもなく「混ざり合うこと」ですね。次は「普遍」。こちらは説明がやや難しいと思われるかもしれません。しかし、意味は意外とシンプルです。普遍とは「すべてに共通すること」。これには「変わらない」という意味合いも含まれます。つまり、時間や空間（場所）を問わない、時空に左右されないということでもあります。ですので、「普遍」という言葉は「いつでもどこでも（変わらない or 共通している)」と言い換えることができます。

余談ですが、「普遍」はラテン語で何というかご存じですか？　答えは、「catholicus（カトリクス)」です。これが英語になると「catholic」すなわち「カトリック」となります。神と神への信仰は、「いつでもどこでも」存在する、というわけですね。

話を世界帝国に戻すと、多民族からなる世界帝国では、様々な民族の文化が次第に混ざり始めます。これが「融合」です。また、こうして融合した文化は、いわば様々な文化の「いいとこどり」をしているため、仮に国家が瓦解しても、長期にわたって広い範囲に定着していきます。こうして世界帝国の文化は「普遍」的なものとなります。

その代表例がヘレニズム文化です。ヘレニズムとは「ギリシア化」という意味ですが、このヘレニズム文化の形成は単なるギリシア化では済まない過程を経ています。

まず、ヘレニズムの基盤となるのがオリエント文化です。オリエント、今日の中東あるいは西アジア地域は、メソポタミアやエジプト、アナトリアなどに様々な国家がひしめいていましたが、前7世紀にアッシリア帝国によって初めて統一されます。このアッシリアが世界史上初の世界帝国といえます。アッシリアの統一は70年にも及びませんでしたが、続いて前6世紀にはアケメネス朝ペルシア帝国により再び統一されます。

アケメネス朝という王朝は、非常に優れた官僚制を保持していました。それまでのオリエントで育まれた官僚制を参考にしつつ、さらに異民族統治にも柔軟な姿勢を見せたことで、

220年にもわたってオリエントの統一を維持できたのです。だからこそ、アケメネス朝の官僚制は、後世の世界帝国や領域国家で、こぞって模範とされました。そして、このアケメネス朝の支配下で、オリエント諸地域の文化が徐々に融合していったのです。

しかしアケメネス朝は、ギリシア人の一派が建国したマケドニア王国によって前4世紀に滅ぼされます。アケメネス朝を征服したマケドニアの王が、あのアレクサンドロス大王（位：前336〜323）です。アレクサンドロス大王は一代でギリシアからインドに至る広大な帝国を築き上げましたが、同時に彼は遠征の途上で、アレクサンドリアと名付けた都市を各地に建設し、この都市にギリシア人たちが移住してきます。こうしてアケメネス朝で育まれたオリエント文化に、アレクサンドロス大王が持ち込んだギリシア文化が融合し、これがヘレニズム文化となったわけです。ヘレニズム文化はローマにおける万民法思想やインドのガンダーラ美術など、後世の文化に多大な影響を及ぼすことになります。こうして、世界帝国により領域国家がまとめられ、さらに政治だけでなく文化もまとまることになりました。

世界帝国が育んだ国際交流――帝国を束ねる帝国の登場

さて、世界帝国の成立は国際交流をも促します。というのも、世界帝国によって広域が統合されると、治安が安定して通商など交通が活発になるからです。また、遊牧民などの商業

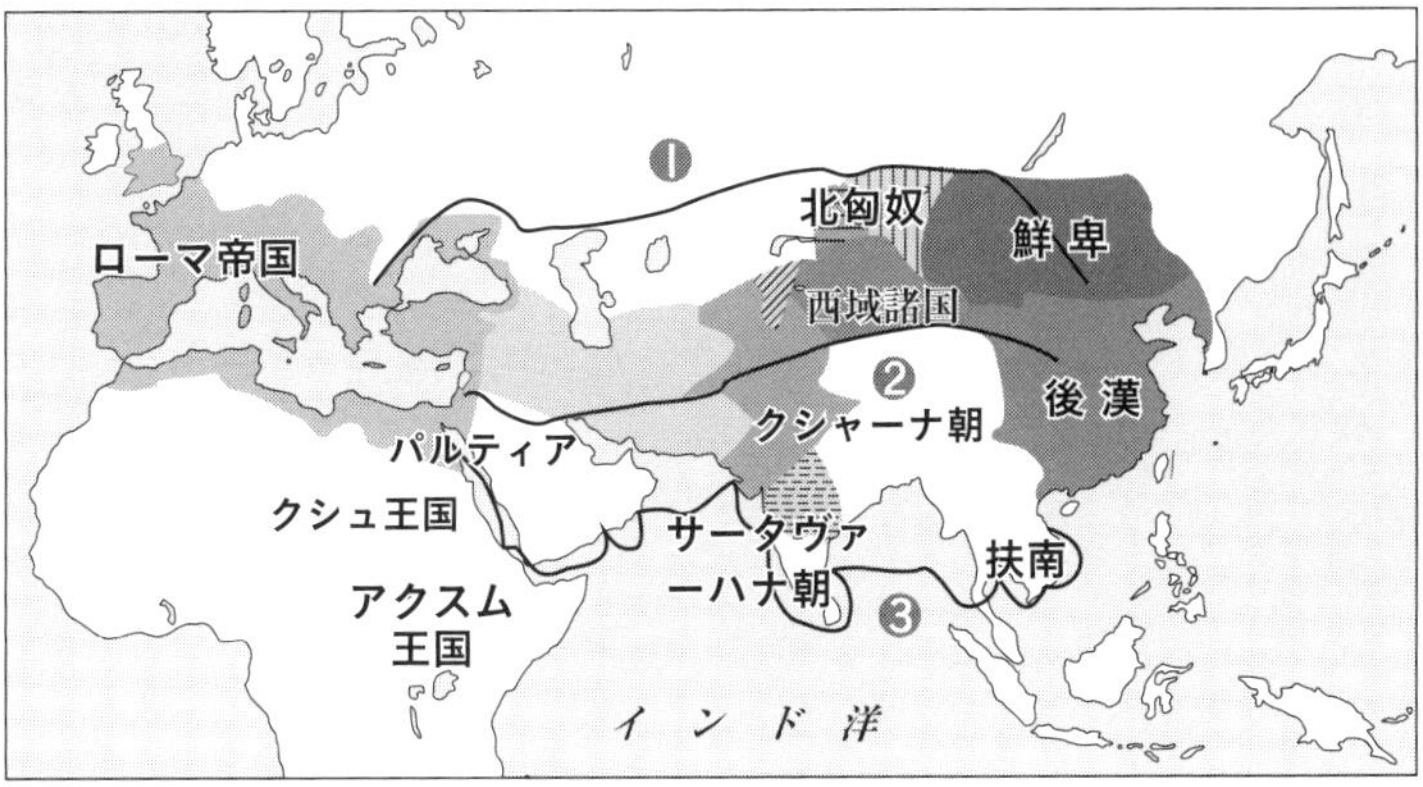

図20　紀元後2世紀のユーラシアと「3本の道」

民族を保護する帝国も多く、国内だけでなく国際的な商業活動が盛んになるのです。とくに国際交流が活発化したのが、紀元後2世紀の世界でした。この時代には、ユーラシアの東西をつなぐように世界帝国が並び立った時代でもあったのです。

図20に見られるように、この2世紀という時代には、東から、後漢（中国）、クシャーナ朝（北インド）、パルティア（中東）、ローマ帝国（地中海）が割拠しています。これらの世界帝国が広域の治安を安定させたことで、東西交流が活発化し、「3本の道」が大いににぎわうことになりました。

「3本の道」とは、古代からユーラシア大陸の東西をつなぐ交通・通商ルートのことで、文字通り南北に3本あります。それぞれ、①「草原の道」（ステップロード）、②「オアシスの道」（シルクロード）、③「海の道」（マリンロード）を指します（図20）。

ここでは「海の道」に注目してみましょう。「海の道」の舞台となるのがインド洋です。インド洋では、毎年季節ごとに一定の方向に季節風（モンスーン）が吹きます。この季節風を利用した季節風貿易が、紀元前より展開されていました。そしてこの「海の道」には必ずといっていいほど、東西の商人が立ち寄る中継地域があります。それが、南インドと東南アジアです。これらの地域では、都市国家というよりも交易のための港が発達し、この港のネットワークが国家として機能します。これを「港市《こうし》国家」といいますが、南インド（地図中では「サータヴァーハナ朝」）や東南アジア（地図中では「扶南」）ではこうした港市国家が隆盛し、実際にこれらの地域ではローマ金貨が発見されています。商取引に利用されたのかもしれません。

さて、ここまで世界帝国の成立過程を見てきましたが、この章の冒頭で、世界史は「システム」、すなわちひとつにまとまっていくということを述べました。都市国家から領域国家へ、領域国家から世界帝国へとまとまったわけですが、実は「さらにこれら世界帝国もまたひとつにまとまる」というと、みなさんはどう思われるでしょうか。そう、この世界帝国ですら、最終的にひとつの勢力によって制覇されます。それが、13世紀の「モンゴル帝国」です。モンゴル帝国は史上唯一、ユーラシアを制覇した大帝国です。まさに「世界帝国の集大成」といえるでしょう。

では、最後にこの章を総括すると、

・世界史はどの時代も、ひとつの特徴＝システムにまとまっていく。
・古代という時代は、世界帝国という特徴＝システムに代表される。

という2つのことがいえるでしょう。そして、「古代とは世界帝国の時代である」という点から解説しました。

第II部
時代区分から読み解く歴史の本質

第2章
中世とは？

1 ヨーロッパにしかない時代、中世

さて、次は中世です。この中世という時代は一癖も二癖もある、なかなか捉えづらい時代です。ではさっそくですが、またしても質問です。

問3．「中世」とは何か？　簡潔に説明せよ。

みなさんはどのように考えたでしょうか。では、正解です。

中世は「キリスト教」と「地方分権」の時代である。

いたってシンプルな解答に呆気にとられたかもしれませんが、中世はこの2つのキーワードから捉えることができます。

ところで読者のなかには、「キリスト教」というキーワードに違和感を覚えた方もいるかと思います。「だったら（キリスト教伝来前の）アジアなどの中世はどうなるんだ？」と。この疑問は至極当然で、かつ根本的な問いでもあります。例えば中国史や日本史などでは、中世という時期をどこに設定するかという問題が、いまだに論争となっています。

それもそのはずで、元来「中世」という言葉は西洋史、すなわち欧米の歴史学で用いられている用語であり、これを他地域の歴史にも当てはめようとするために、どうしても「ずれ」が生じてしまうのです。このことから、「キリスト教」と「地方分権」というキーワード、すなわち「中世」という時代は、「西ヨーロッパのみに見られる限定的な時代である」というべきなのかもしれません。少なくとも高校・大学受験の世界史では、中世は極めて限定的で、ローカルな時代であると捉えたほうが適切です。

さらに踏み込むと、実はこの中世という時代は「ヨーロッパが誕生した時代」ともいえるのです。逆にいえば、古代には「ヨーロッパ」という世界あるいは文化圏は存在していなかったとも考えることができます。だからこそ、中世を理解することは、以降の西洋史全般を理解するうえで必要不可欠であるといえます。ヨーロッパという世界・文化圏の秘密が、中世に隠されているというわけです。

では、なぜ中世は「キリスト教」と「地方分権」の時代なのか？　その理由は、中世初期にヨーロッパで立て続けに起こった、２度の民族大移動にあります。

2

2度の民族大移動が中世を作った

ヨーロッパは4世紀から11世紀にかけて、大小様々な民族大移動に見舞われます。このうち主要なものが2回あります。1回目が「ゲルマン人の大移動」、2回目が「第二次民族大移動」です。先に結論をいってしまうと、ゲルマン人の大移動によってキリスト教が、第二次民族大移動によって地方分権が、それぞれ確立することになります。

ゲルマン人の大移動により、「キリスト教の時代」を迎えた

では中世のひとつ目のキーワード、「キリスト教」について解説します。とりわけ中世初期では、キリスト教は国家運営になくてはならないものとなります。4世紀に、ライン川・ドナウ川（ローマ帝国の北方の国境）の北に居住していたゲルマン人が、ローマ帝国の領域へと南下を始めます。こののちまもなく、ローマ帝国は東西に分裂し（395年）、476年に西ローマ帝国が滅亡してしまいます。ゲルマン人の様々な部族はローマ帝国の各地に移

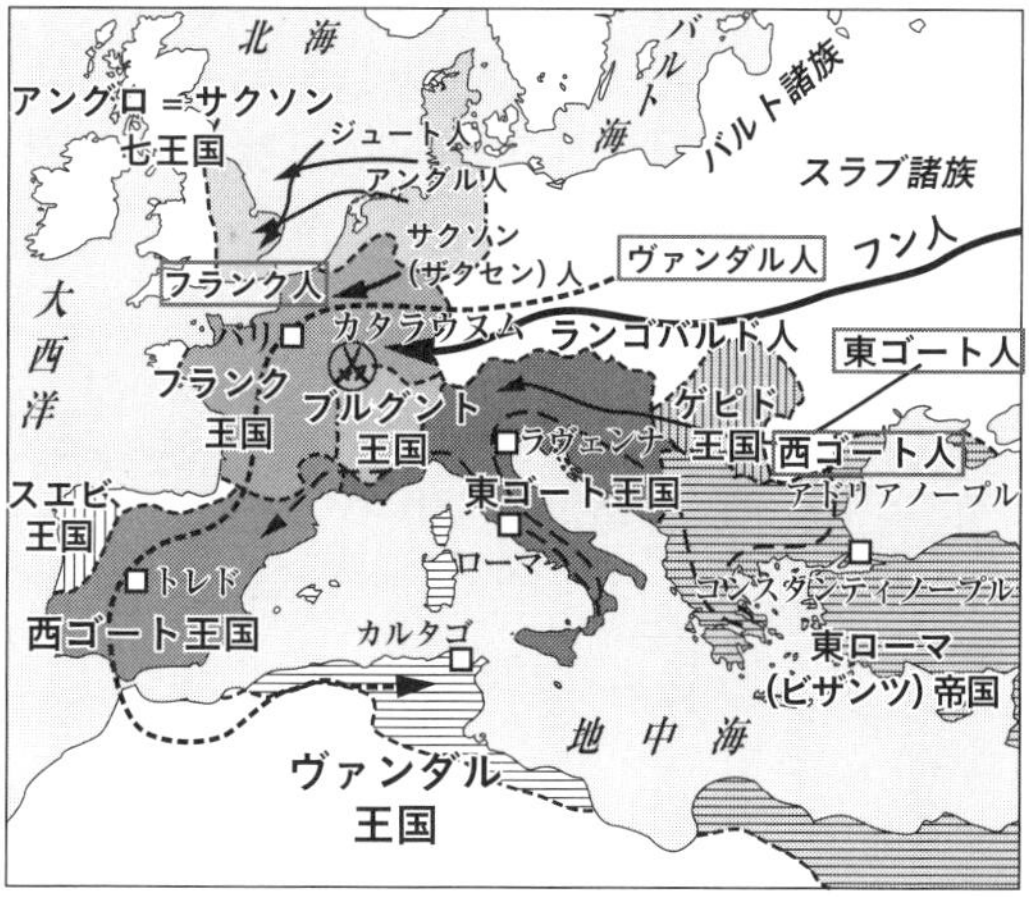

図21　ゲルマン人の諸王国（500年頃）

住し、西ローマ帝国の領域に自分たちの王国を建設します（図21）。

このゲルマン人たち、実はこの時点でキリスト教に改宗している者も少なくありませんでした。ゲルマン人の元来の信仰といえばゲルマン神話で、今日われわれが知るところの北欧神話の原型となったものです。しかし、ローマ帝国との接触が増えたことで、3世紀頃よりキリスト教がゲルマン人の間でも広まりつつありました。ただし、4世紀にローマ教会から異端とされたアリウス派が主流でした。

ゲルマン人の大移動により、異端であるアリウス派のゲルマン人たちが、西ヨーロッパ各地に王国を建てたことで、アリウス派は勢力を強めることにもなりました。正統とされたアタナシウス派を奉じるローマ教会にとっては由々しき事態といえます。かつての西ローマ帝国の教会で最高位にあったローマ教会は、文字通りローマにありますが、西ローマ帝国という保護者(ここでは外敵から身を守るボディガードのようにイメージするとわかりやすいでしょう)を失い、さらに異端のアリウス派が勢力を強める現状をどう打開するか、対策を練ることになります。

教会と手を組んだフランク王国

さて、これらゲルマン人の王国は、いずれも短命なものばかりでした。その最大の理由は、ゲルマン人たち自身にあったといえます。彼らはそもそも、それまで国家、とりわけ領域国家を形成したことがなかったのです。第Ⅱ部第1章でも述べましたが、地方統治に欠かせない「徴税システム」、すなわち「官僚制」が、どのゲルマン人の国家にも欠如していた、あるいは不十分だったのです。

ざっくりいえば、王国の各地から効率よく税を集めることができませんでした。だからこそゲルマン人たちは、自分たちの王国を維持することが困難だったわけです。では、どうやって官僚制を作り出すか？　そんなゲルマン人の国家のなかでも、頭ひとつ飛び抜けた国家が出現します。それがフランク王国です。

フランク王国が台頭した理由は、彼らが教会、正式にはローマ教会に協力したことにありました。フランク王国でももちろん官僚を必要としたのですが、官僚となるには高度な教育を受ける必要があります。とくに教育がいわば贅沢品であった前近代では、「文字の読み書きができるかどうか」という条件ひとつとっても、官僚のハードルはかなり高いのです。

そこでフランク王国では、自国の教会の聖職者に注目したのです。聖職者は文字の読み書きができます。なぜかといえば、彼らは聖書を読む必要があるからです。またフランク王国は、他国と比べてもローマ教会の協力を得やすい立場にありました。フランク王国の初代国王であるクローヴィスが、異教である多神教信仰を捨て、（アリウス派に関心は持ちつつも）わざわざローマ教会で正統とされたアタナシウス派に改宗したからです。というわけで、フランク王国では、ローマ教会の聖職者が国政に協力することで（いわば官僚制を補完することで）、他のゲルマン諸国を差し置いて台頭していくことになります。

いわゆる教科書的な記述では、「フランク王国では、クローヴィス王が正統派のアタナシウス派に改宗したことで、ローマ系住民の支持を得て、王国の礎を築いた」となるのですが、より詳細に見れば、ローマ教会の聖職者を利用して官僚制を構築しようとしたわけです。さらにローマ教会とフランク王は、単純な持ちつ持たれつにとどまらない、非常に緊密な関係を育んでいくことになります。

そこで図22をご覧ください。まず、フランク王国は周辺のゲルマン人の王国と戦争をしながら勢力を拡大していきます。本来であればこの戦争はフランク王国による侵略に過ぎない

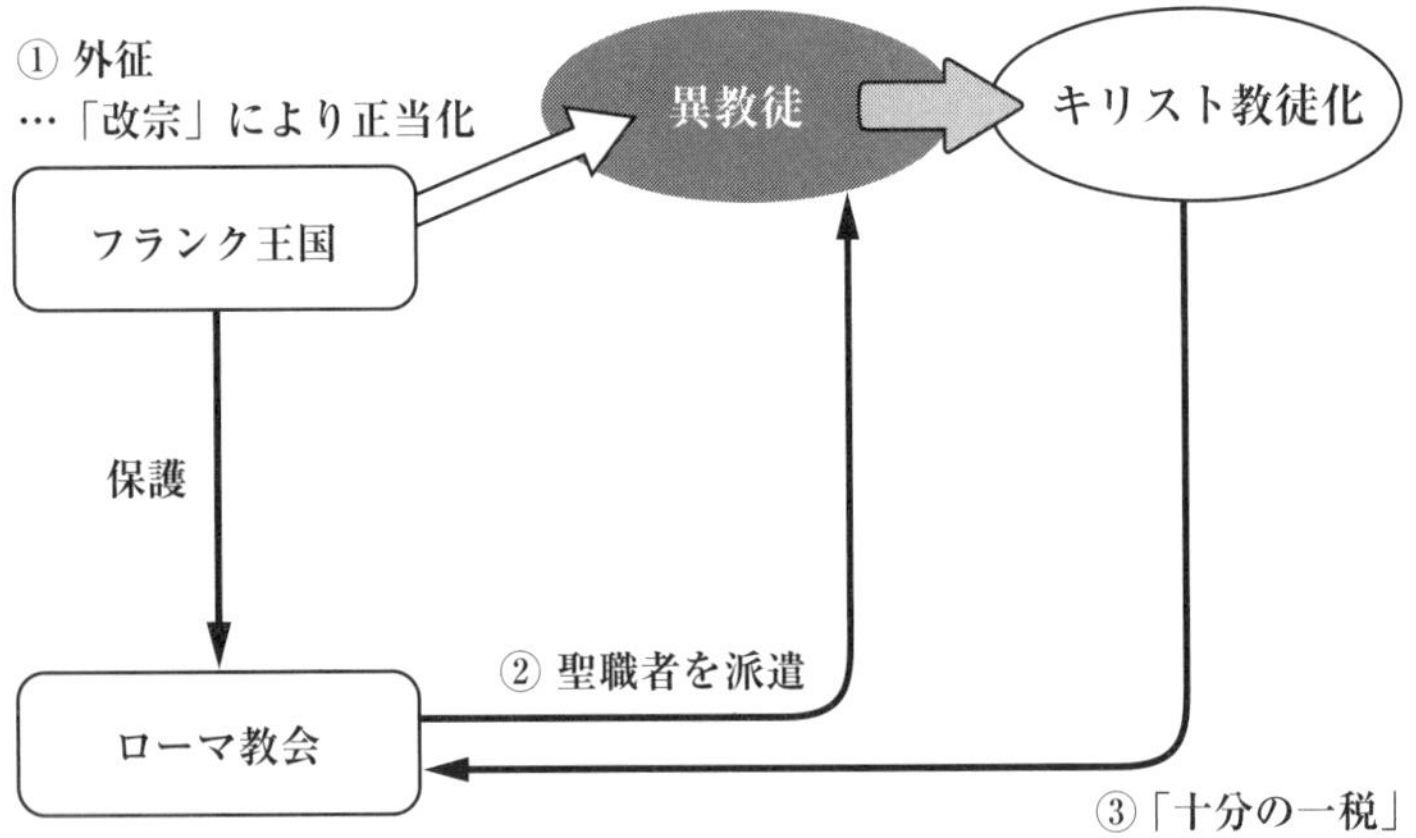

図22　ローマ教会とフランク王国の関係

のですが、これにローマ教会がお墨付き、すなわち「聖戦」というよりどころを与えます（①）。フランク王国と戦うゲルマン諸国はアリウス派、すなわちローマ教会から見れば異端（もしくは異教徒）です。したがって、ローマ教会は、フランク王国の戦争に「正しい信仰に導く戦い」として道義的な目的を与えたのです。

さらにフランク王国には、より目に見える利点がもたらされます。フランク王国の占領地には、ローマ教会から聖職者が派遣され、正統派の布教を進めます（②）。つまり戦後処理です。ローマ教会が代わって戦後処理まで引き受けてくれるため、フランク王国にとっては手間がかからないことこの上ないのです。

ここだけ見ればローマ教会が至れり尽くせり、といったところですが、ローマ教会にも当然ながら見返りはあります。それは何といっても「アタナシウス派（ローマ＝カトリック）の信者が増える」ということです。信者が増えることの最大の利点は、信者から「十分の一税」という税を徴収できることです（③）。「十分の一税」とは、おもに農民たちの収穫物の10分の1を、地元の教会が徴収していた税（さらに最終的にはローマ教皇の手に届きます）ですから、ローマ教会にとっては収入の増加が見込めたわけです。

このように、フランク王国はローマ教会と密接な関係を築いて勢力を拡大し、またローマ教会（ここからはローマ＝カトリックと呼びます）もアタナシウス派の布教、さらには税収の増加もあって、その影響力を増していきます。

3 「ヨーロッパ世界」の誕生 ——キリスト教の時代が完成

教会の支持したクーデタ

さて、ここまで順風満帆に見えたフランク王国でしたが、6世紀にガリア（現在のフランス一帯）を統一すると、勢力の拡大が停滞します。その理由はフランク人の慣習法にあり、フランク人は伝統的に分割相続、すなわち男子が3人いれば財産は3分割といったように、平等に分けることが原則とされていました。ここでいう財産は土地、すなわち国土も例外ではありません。このため王国はしばしば相続で分割され、さらにそれが内紛を通じて再統一されるという、分割と統一を繰り返すことになりました。

こうして王権は次第に弱体化し、代わって宮宰《きゅうさい》と呼ばれる宰相職に実権が集中します。751年には、当時この宮宰であったピピンという人物が、ついに国王を追放して自ら即位します。いわばクーデタですね。しかし、このままではピピンはただの反逆者になってしまいます。

そこで彼はローマ＝カトリックを頼ることにしたのです。ローマ＝カトリック最高位のローマ教皇から直々に許可を取り、自ら国王に即位しました。また、このときのお礼とばかりに、イタリア中部のラヴェンナ地方に遠征・占領し、この地をローマ教皇に献上しました。もちろんローマ教皇は大満足。ピピンもやはりローマ＝カトリックの重要性を理解していたのですね。

そのピピンの息子が、フランク王国に全盛期をもたらすカール大帝です。カール大帝は「大帝」という称号にふさわしく、積極的な外征で王国の領土を大幅に広げます。またキリスト教への改宗にも熱心でした。これは地域によっては住民の大量虐殺や強制移住といった事態すら引き起こしました。そのカール大帝は800年のクリスマスに、ローマで教皇レオ3世の手により西ローマ皇帝として戴冠されます。この「カールの戴冠」により、476年に滅亡して絶えて久しかった西ローマ帝国が復活することになりました。

この「カールの戴冠」は、世界史の授業では「重要な出来事」として習ったかと思います。実際、現行の高等学校世界史Bの教科書でも、重要事項として記述されています。では、なぜこの「カールの戴冠」が重要なのでしょう？　その理由は、カールが西ローマ皇帝の帝冠をいただいた瞬間、この地球上に「ヨーロッパ世界」というまったく新しい文化圏が誕生したからです。そして、この誕生まもないヨーロッパ世界が、「キリスト教の時代」を決定づけることにもなるのです。

「カールの戴冠」の意義――ヨーロッパが産声を上げたとき

いわゆる教科書的な記述では、「カールの戴冠」により「ゲルマン文化、ローマ文化、キリスト教文化の3文化が融合を果たした」となっています。実は、これは厳密にいえば少し誤りが含まれています。なぜなら、ゲルマン文化とローマ文化は、今日まで完全な融合を果たせず、分断されたままだからです。もちろんそれはカール大帝の時代も同様です。

ではその実態はというと、ゲルマン文化とローマ文化は本質的に相いれない文化です。例えば「こんにちは」という挨拶ひとつをとっても、ローマ文化圏であったイタリア語では〝Buon giorno.〟、フランス語では〝Bonjour.〟というように、どちらも発音、スペルともに近いことがわかる一方、ゲルマン文化圏のドイツ語では〝Guten Tag.〟というように、前者2例とは異質な言葉であることがわかります。現在ですらこのように文化の差異が顕著なわけですから、カール大帝の時代においても、融合できたとは言い難いわけです。

しかし、そんなローマとゲルマンの両者にも共通点があります。それは、同じ宗教、すなわちローマ＝カトリックを信仰しているという点です。このためカール大帝の支配下で、「ゲルマン文化とローマ文化がキリスト教により結合した」と言い換えたほうが適切といえます。キリスト教は紐帯、つまり異文化を結びつける糊《のり》のような役割を果たしたのです。

したがって、カール大帝の「西ローマ帝国」は、かつて滅亡した西ローマ帝国とは本質的に異なる国家だったといえます。このカールの「西ローマ帝国」は、当時の年代記でも「ekklesia（エクレシア）」と記述されており、これはギリシア語で「教会」ないし「教会組織」を意味する言葉です。カールの帝国の原動力が「教会＝キリスト教」であったことが、同時代人の目から見ても明らかだったということです。カール大帝の「西ローマ帝国」は「キリスト教帝国」であったということができるでしょう。

この「キリスト教帝国」は、従来は存在しなかった、まったく新しい文化圏でもあります。そしてこの新しい文化圏こそが、「ヨーロッパ世界」だったのです。ここで注意しておきたいのは、ヨーロッパ世界は決して地理的な概念ではないということです。つまり、「○○山脈から××川まで」といったように明確に区分できるものでないのです（これはその他の文化圏についてもいえます）。誕生まもないヨーロッパ世界の中核はキリスト教であり、中世を通じて「ローマ＝カトリック圏」が、ヨーロッパ世界に該当します。そして、ローマ＝カトリックが布教され、改宗が進むと、その地域もまたヨーロッパ世界に組み込まれていきます。ヨーロッパ世界はまさに拡大する文化圏であるといえます。この性質が、のちの十字軍や大航海時代、帝国主義の原動力となったといえるでしょう。

ちなみにカール大帝の「西ローマ帝国」の領域は、1951年に発足したヨーロッパ石炭鉄鋼共同体（ECSC）の加盟国、フランス、イタリア、西ドイツ、ベネルクス3国（ベルギー、オランダ、ルクセンブルク）の領域にほぼ合致します。ＥＣＳＣは最終的にヨーロッパ連合（ＥＵ）に発展しますが、このヨーロッパ統合において、カール大帝はその模範とされたのです。したがって、現在もＥＵの理念の内側で、カール大帝は生き続けているのです。今日のヨーロッパでカール大帝は、「ヨーロッパの父」と呼ばれ親しまれています。

まとめます。中世ヨーロッパはなぜ「キリスト教の時代」なのか？　それは「国家運営がキリスト教と教会組織に依存していたから」です。そもそもヨーロッパ世界という文化圏自体が、中世という時代に誕生し、その根幹にキリスト教が大きな影響を与えていたのです。

4 第二次民族大移動――「外部勢力」と地方分権の時代

混乱の序曲――フランク王国の分裂

続いては「地方分権」です。中世が地方分権の時代となる最初の出来事は、フランク王国の分裂です。カール大帝の「西ローマ帝国」、すなわちフランク王国の統合は長くは続きませんでした。その理由は、すでに述べたフランク伝統の分割相続でした。カール大帝の後を継いだルートヴィヒ1世（敬虔帝）には死没時に3人の息子がおり、この3人が王国の支配権をめぐって争います。

長男ロタール1世は自身単独での支配を目指しますが、次男ルートヴィヒ2世と三男シャルル2世が立ちはだかり、フォントノワの戦いでロタールは敗北します。結果、3人による領土分割の合意がなされ、これがヴェルダン条約として画定します（843年）。さらにロタールが亡くなると、その息子ロドヴィコ2世が南イタリアに遠征して留守にしているのをいいことに、2人の叔父、すなわちルートヴィヒ2世とシャルル2世が再び領土を分割します。

[1] ヴェルダン条約（843）　　[2] メルセン条約（870）

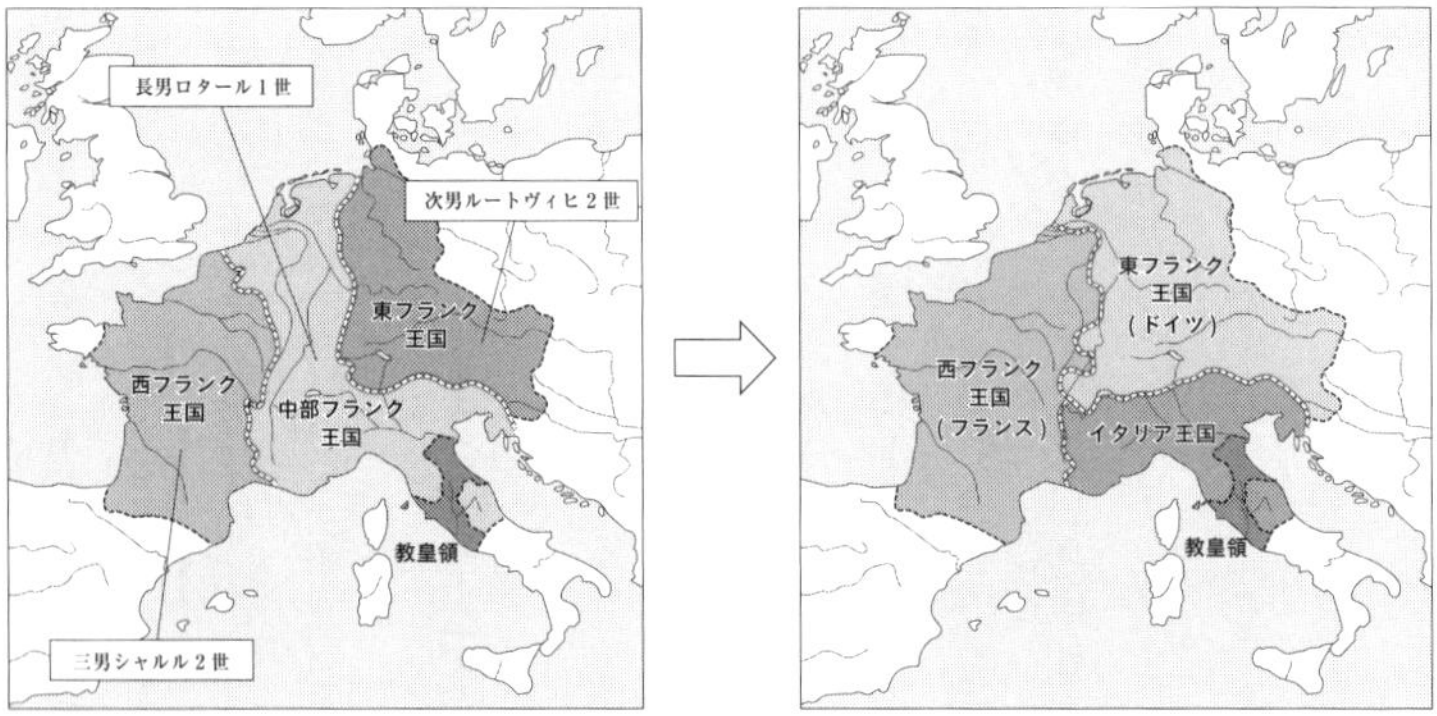

図23　フランク王国の分裂

これをメルセン条約といいます（870年）。

このヴェルダン条約とメルセン条約の2回にわたる協議の結果、カール大帝の領土は3分割されることとなります。とくに、メルセン条約で決まった3国の領域は、今日のドイツ語、フランス語、イタリア語の言語境界にほぼ一致します（図23）。

外敵の襲来——異教徒によるヨーロッパ包囲網

このフランク王国の分裂は、この後に生じる混乱の序曲に過ぎませんでした。というのも、フランク王国の分裂と前後して、誕生まもないこのヨーロッパ世界は、様々な「外部勢力」、より平たくいえば「外敵」の間断のない攻撃に晒《さら》されることになるからです。

さてこの「外部勢力」とは、ここからは「外敵」という表現で統一しますが、いったいどのような存在だったのか？　その姿に迫っていきましょう。まずここでいう「外敵」とは、「ヨーロッパの外からの襲来者」ということです。この「ヨーロッパ」は、もちろん地理的なものではなく「ヨーロッパ世界」のことです。つまり言い換えれば「ローマ＝カトリック圏」ですね。ですから、「外敵」とは「非ヨーロッパ世界の諸勢力」＝「ローマ＝カトリックから見た異教徒」のことです。これで「外敵」の輪郭が、ぼんやりながら浮かび上がってきたのではないかと思います。

ではここから「外敵」たちをより具体的に見ていきます。当時のヨーロッパ世界に四方八方から立て続けに攻め込んでくる「外敵」たちは、次の3者に区分することができます。

①マジャール人……東方から襲来
②イスラーム勢力……南方・西方から襲来
③ノルマン人……北方から襲来

順番に解説していきます。

①マジャール人

マジャール人はウラル系の遊牧民であり、元来はカスピ海北岸の一帯で遊牧をしていたとされます。それが、他部族の攻撃を受けて西進を繰り返し、9世紀には東ヨーロッパに出現します。このマジャール人たちも、かつてヨーロッパにやってきたフン人と同様、ヨーロッパの各地に姿を現しては襲撃を繰り返しました。

10世紀にはマジャール人の襲撃が猛威を振るいますが、ついに955年にレヒフェルトの戦いで東フランク王のオットー1世率いる軍勢に大敗を喫します。レヒフェルトの敗戦を受け、マジャール人たちは西進を断念し、ローマ人がパンノニアと呼んだ平原地帯に定住を始めます。パンノニアに定住したこのマジャール人たちは、1000年にローマ＝カトリックを受容し、ハンガリー王国を成立させます。

②イスラーム勢力

カール大帝は、当時のイスラーム帝国（＝アッバース朝）のカリフであるハールーン＝アッラシードとも交流があり、この頃のヨーロッパ世界とイスラーム帝国は概して友好的でした。

しかしフランク王国の分裂と時を同じくしてアッバース朝も衰退が加速し、9世紀後期には地方勢力が割拠します。この地方勢力が、地中海の南岸からヨーロッパに攻め込むことになります。イスラーム教徒の海軍あるいは海賊は、南フランスやイタリアの諸都市を襲い、さらに南イタリアのガリリャーノ川の河口や南フランスのフラクシネトゥム（Fraxinetum）といった植民を目的とした要塞を建設し、いずれも10世紀まで存続したのです。

③ノルマン人

ノルマン人はゲルマン人の一派です。スカンディナヴィア半島やユトランド半島を原住地とする彼らは、カール大帝の治世中からすでにヨーロッパに進出を始めていましたが、8世紀後期になると、ヨーロッパの非常に広い範囲に侵攻を繰り返すようになります。

ノルマン人は「ヴァイキング」という別名のほうが有名かと思います。彼らは非常に優れた造船・航海技術を活かして、ヨーロッパの各地を荒らしまわったのです。

一方で彼らは、元来は商業民族です。「ヴァイキング（Viking）」という呼称は、古ノルド語（古代〜中世の北欧語）のvikを語源としており、これは「入り江、港」を意味します。したがって「ヴァイキング」という言葉自体が、「入り江・港の人＝商人」を意味するのです。

その名の通りヴァイキング＝ノルマン人は、ヨーロッパ各地に商業ルートを開拓し、その途上でロシア国家の原型を築くことになります。また、ノルマン人はヨーロッパはおろか、アイスランド、グリーンランド、さらに北米にまで到達します。

騎士と城――第二次民族大移動がもたらしたもの

このように10世紀のヨーロッパは様々な「外敵」の襲来に直面したわけですが、ここで問題なのは、いずれの国の支配層も、効果的な対応がほぼできなかったということです。とり

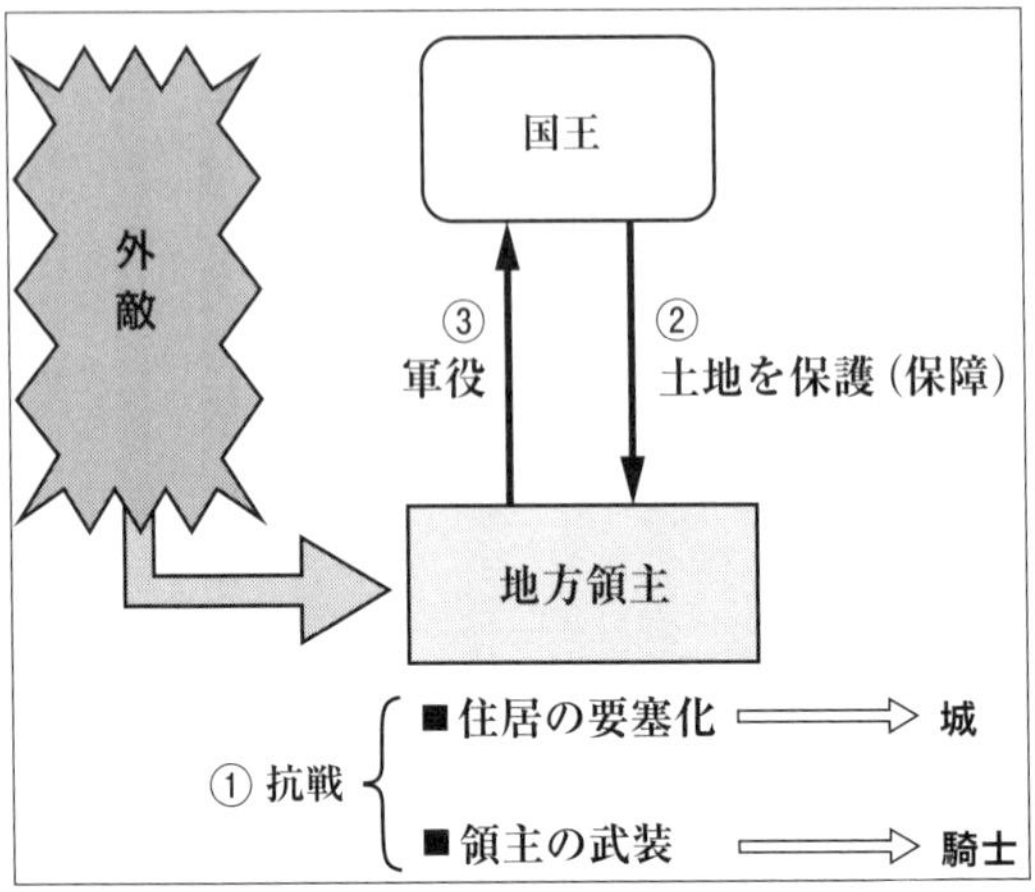

図24　第二次民族大移動後の社会変化

わけこの「外敵」に最初に対峙する地方の領主たちにとっては、宮廷にいる国王からの支援が期待できないということです。そこで、この第二次民族大移動の結果、ヨーロッパ世界では次のような社会変化が生じることになったのです(図24)。

まず、「外敵」に直面した地方領主は、自分の領地を自衛するため、手始めに自らの住居(邸宅)を要塞化します。初期は周囲に堀をめぐらせ、木製の柵を張るなどの簡素なものでしたが、次第に石造の建築物に取って代わります。これが「城」です。

また、領主自身も武装して「外敵」と戦います。領主は武器や鎧を身に着けますが、ここで最も重要な武装があります。それは「馬」です。すでにフランク王国では騎兵戦力が拡充されていましたが、ヨーロッパにおいて騎兵（あるいは騎馬戦士）がより広範に定着するようになったのが、この9～10世紀であるとされます。

とくにこの時期で注目すべきは、馬具のひとつである「鐙《あぶみ》」の普及です。近年の研究では、ヨーロッパで鐙を普及させたのは、あのマジャール人であったと考えられているのです。この鐙の普及により、騎手は馬上での姿勢が安定し、馬に乗りながら効果的に武具を使用できるようになったため、騎兵戦力が急速に定着していったと考えられています（このあたりに関してはのちほど解説）。こうして領主は武装、とくに騎乗して戦う騎馬戦士となります。これが「騎士」と呼ばれることになります（①）。

以上のように地方領主は、住居を城に改築し、自身も騎士となって戦うことにより、「外敵」の侵攻に何とか耐え抜くわけです。しかし、このように自分で自分の身を守ることができるようになると、もはや王権の保護は必要ではなくなります。この期に及んで困ってしまうのが、王権（国王）です。このままでは地方領主が完全に離れてしまうので、王権はある種の妥協を余儀なくされます。

まず、王権は地方領主の土地を保護します（②）。これは、王権が実際に地方領主の土地を守る、というよりは、地方領主の土地所有権を保障する、といったニュアンスがより近いでしょう。名目上は王国の土地はすべて国王のものですが、「国王に代わって○○（地方領主の名前）がこの土地を支配することを認めよう」というものです（古代ローマの「恩貸地制」という制度の影響でもあります）。

もちろん、王権も地方領主に見返りを求めます。その見返りが「軍役」です（③）。本来であれば、古代の官僚のように納税を課したいところですが、地方領主は騎士となっているため、軍役を課した方が理にかなっていると考えられたのです（ゲルマン人の伝統である「従士制」の影響でもあります）。この②と③を切り取ると、「封建制」という中世ヨーロッパ固有の社会制度につながっていくと考えることができます。

この第二次民族大移動の結果、地方領主の自立が加速し、中世ヨーロッパは地方領主たちが割拠する時代、すなわち地方分権の時代が確立することになるのです。また、ここまでの解説で何となく勘づいた方もいるでしょうが、地方領主が自立しているため、中世ヨーロッパの王権は概して脆弱なのです。領主のなかには王権をしのぐ大勢力を持っている者も少なくはなく、イングランドなど一部の例外を除き、中世を通じて王権はこうした強大な地方領主たちに立ち向かわねばならなかったのです。

こうして11世紀を迎えるまでに、中世ヨーロッパは「キリスト教」と「地方分権」という2つの特徴を備えた、類を見ない地域・時代を現出させることになったのです。

問3．「中世」とは何か？　簡潔に説明せよ。
正解3．「キリスト教と地方分権の時代」である。

第Ⅱ部
時代区分から読み解く歴史の本質

第3章 近世とは?

1 どっちつかずの時代??

続いては「近世」です。この近世という時代もまた、一見すると捉えづらい、あるいは授業などで説明するにも苦労が絶えない時代です。

さてさて、ここでもキークエスチョンを！　もうおおかた予想はついておられるかもしれませんが、以下になります。

問4．「近世」とは何か？　簡潔に説明せよ。

……考えはまとまりましたか？　今回は正解をいきなり紹介するのではなく、近世という時代の特徴から見ていきます。

まず、この「近世」という時代は、よく誤解されがちなのですが、「近代」という時代とは別物です。とはいえ、まったく別物ともいえません。そんなに複雑なものなの？　と思われるかもしれませんが、その本質はいたってシンプルで、決して難解ではありません。そもそもなぜ近世という時代区分が存在するのか、ここから考えてみましょう。

「中世」と「近代」のはざまで

前章のおさらいですが、中世は「キリスト教と地方分権の時代」でしたね。ここがわかっているると、まず「近代」という時代の特徴につなげることができます。いってしまえば、近代のキーワードは中世の「逆」になるのです。

まずは「キリスト教」から。キリスト教の逆、といきなりいわれてもなかなか思いつかないかもしれませんが、こう考えてみてはいかがでしょうか。中世では、自然現象などはキリスト教的価値観、ざっくりいえば「神の所業」によって説明されてきました。

一方、近代では何をもって説明したのでしょうか。それは「科学」です。より厳密にいえば、科学的な分析、すなわち人間の観察や思考によって現象を導き出します。「考える力」が重視されたわけです。これを「理性」といいます。ですから、キリスト教は「理性（≒科学）」に取って代わられます。

もうひとつの「地方分権」はいかがでしょうか。こちらは非常に簡明です。日本語の意味合いで対義語を思い浮かべてください。正解は「中央集権」です。というわけで、近代は「理性と中央集権の時代」という特徴で捉えることができます。

さて、ここで問題なのは、この中世→近代という変化が、「ある日突然、一瞬のうちに転換をもたらしたわけではない」ということです。これまで自然現象を「風が吹くのは神の思《おぼ》し召《め》し」のように信じていたヨーロッパ世界の人々が、ある日突然「えーと、上昇気流から高気圧が生じて……」などと言い出したとしたら、あまりにも不自然ですよね。また地方分権ならば、いわば日本の戦国時代のように領主らが地方にバラバラに割拠していたのが、やはりある日突然、全国統一しました、とはならないことは容易に想像できるかと思います。

おわかりいただけたでしょうか。中世→近代、すなわちキリスト教→理性／地方分権→中央集権となる途中経過の時代を抜きにしては、とりわけ近代という時代を説明できません。この途中経過の時代が、「近世」という時代なのです。

簡単にまとめると、近世とは「中世から近代へと徐々に変化を遂げる時代」となります。近世はいわば過渡期なのですね。だからこそ近世という時代は、近代の登場を予感させる要素が多々出現するのに対し、中世という前時代の要素も色濃く残っているのです。近世とは、中世でも近代でもない、「どっちつかずの時代」なのです。

近世を代表する好例――ルネサンスと集権化

「どっちつかずの時代」の代表的な例が、近世初期に生じるルネサンスという風潮です。

ルネサンスを代表する芸術作品といえば、レオナルド＝ダ＝ヴィンチの「最後の晩餐」、ミケランジェロの「ダヴィデ像」やシスティナ礼拝堂の天井画と「最後の審判」、ラファエロの聖母子像などが有名です。これらは人間の身体のバランスや遠近法といった技法により、綿密な計算のもとで正確に描かれていることに特徴があります。まさに科学的手法の第一歩ですね。

しかし一方で、先に挙げたこれらの作品に共通するテーマは「聖書」、すなわち「キリスト教の世界観」です。ルネサンス期の芸術は「キリスト教の世界を科学的に描こうという試み」が随所に見られます。この点からも、近世という時代の宙ぶらりんな、どっちつかずの特徴が垣間見えるでしょう。

教科書的な時代区分でいえば、近世とは15～18世紀半ばまでのおよそ350年前後を指しますが、この間に中世の特徴であったキリスト教と地方分権が、徐々に変容していくわけです。キリスト教は、中世の後期からローマ＝カトリック教会の権威の後退が顕著になってきました。さらにルネサンスの人文主義、さらにルターをはじめとする宗教改革による「新教」（プロテスタントともいいます）の登場によって、それが決定的となります。

同時に、天文学の分野で、コペルニクスが従来の天動説に対し地動説を唱えたことをきっかけに、「科学革命」と呼ばれる一連の変革が訪れます。

一方で、地方分権の主役であった領主たちも、十字軍遠征を機に疲弊が始まり、フランスのような地域では自力で生活を維持することが難しくなり、国王によって王領地へと次々に吸収合併されるようになります。一部の領主は国王から年金を支給される廷臣となるなど、彼らの勢力衰退はより加速していきます。

こうして、中央政府による中央集権化が、本格的に進んでいくことになります。イングランド（のちイギリス）では、議会に権限が集まる形で集権化が進行する一方、フランスでは国王による中央集権の一環として絶対王政と呼ばれる体制が築かれますが、これすら集権化の完成には程遠いものでした（P.84～86）。

「どっちつかずの時代」という特徴は、近代という時代の到来を知っている現代人の評価に過ぎませんが、近世は当時のヨーロッパ人たちが、それまでのいわば「常識」に代わる、新たな価値を創造しようとした、あるいは試行錯誤の繰り返しの時代であった、と考えたほうがより正確でしょう。

問4．「近世」とは何か？　簡潔に説明せよ。
正解4．「中世と近代の両方の性質を持つ、どっちつかずの時代」である。

2 大航海時代──商業の時代！

とはいえ、近世は「中世でも近代でもない、どっちつかずの時代」という説明だけでは済みません。その最大の原因は、大航海時代にあるといえます。この大航海時代によって、ヨーロッパで発生した「あるシステム」が、世界規模で広がっていくことになるからです。この「あるシステム」は、古代の世界帝国とは形成の過程が真逆であるといえます。古代が次第に世界帝国というシステムによってまとまっていくのに対し、この「あるシステム」は、最初にヨーロッパで発生し、その後、世界を次々と呑み込んでいくことになるからです。

その「あるシステム」とは何か。その前に、前提となる大航海時代について、ここでは解説していきます。というのも、この大航海時代もまた、その本質をきちんと捉えづらいからです。そしてやはり、その本質は非常に簡潔です。

問5．大航海時代とはどのような時代か？　簡潔に述べよ。

ではさっそく正解です。「ヨーロッパ商人が世界中で商品を買いまくる時代」です。これはどういうことか？　そもそも大航海時代のポイントは「商品」にあります。ヨーロッパで産出されない希少な商品を求めて、世界各地へヨーロッパ商人が漕ぎ出した、というわけです。そのなかでも、とくに珍重されたのが、東南アジア原産の香辛料（香料）だったのです。

2つの「インド」

この大航海時代の先陣を切ったのが、スペインとポルトガルでした。両国はそれぞれ正反対のルートで、目的地であるアジアを目指します。ポルトガルはアフリカ大陸を反時計回りに進み、インド洋を横断してインド（1498）、そして東南アジア（1511年に香料の産地であるモルッカ諸島）に到達します。

一方、ポルトガルのインド到達より6年先立つ1492年に、スペインはコロンブスの西方航海を支援し、カリブ海のサンサルバドル島に到達します。このときにコロンブスは、到達した地を「アジア」だと信じて疑わなかったため、この地を「インディアス（インド）」と呼びました。当時「インド」という地名は「アジア」全域を大まかに指す言葉だったからです。

しかし、のちにコロンブスの知己アメリゴ＝ヴェスプッチの調査で、この地はインド（アジア）ではなく「新大陸」であることが発覚します。このアメリゴ＝ヴェスプッチにちなんで新大陸は「アメリカ」と名付けられますが、この名が広く普及するのはもっと後のことです。むしろコロンブスが呼んだ「インディアス（インド）」という名称のほうがヨーロッパでは通りがよく、この大陸の先住民を指す「インディオ（インディアン）」という呼称も、本来は「アジア人」という意味合いですが、定着していきます。

とはいえ、「コロンブスが到達したアジア」と「本来のアジア」は別の場所なので、混乱が生じてしまいます。そこで次第にヨーロッパ人は、「本来のアジア」を「東インド」、「コロンブスが到達したアジア（＝新大陸）」を「西インド」と呼び、それぞれ区別するようになるわけです。世界史の教科書にも登場する「東インド会社」は、「アジア（で）の（商取引をする）貿易会社」が、本来の社名の意味合いとなります。

東インド会社と重商主義

さて、ここからのポイントとなるのが、この東インド会社です。大航海時代の到来により、ヨーロッパ商人が直接アジアまで商売に訪れるようになりました。繰り返しになりますが、このヨーロッパ商人たちの目的は、香辛料や綿花、中国の陶磁器といった、ヨーロッパでは珍しい（かつ高値で取引される）物産です。

最初にアジアで貿易圏を広げたのはポルトガルでしたが、イングランドや独立目前のオランダも、相次いでアジアにやってきます。このイギリス、オランダ、フランスなどの各国でアジア貿易のために設立された組織が「東インド会社」なのです。なかでもオランダ東インド会社は「世界初の株式会社」としても知られます。

当初は、いわばアジアでの「買い物」が商取引の中心でした。しかし次第に、より多くの国富（ざっくりいえば国家の儲け）を狙いとした、ある発想に取って代わります。要は、アジアから香辛料や陶磁器を買い付けてそれらをヨーロッパで転売するよりも、アジアで直接ヨーロッパ製の商品を売りつけたほうがより儲かるのではないか、という発想です。

こうして、ほぼ買い物一辺倒であった東インド会社は、徐々に本国で作られた毛織物などの製品をアジアで売り始めます。国外への製品の販売＝輸出を促す、というわけですね。しかし、輸出と同じだけ、あるいはそれ以上に国外から商品を買う（＝輸入する）ようでは儲かる、とはいえません。輸出額と輸入額の差額を「貿易差額」といいますが、これがプラスになることを貿易黒字、逆にマイナスになることを貿易赤字といいます。この貿易差額、とくに貿易黒字を最大化させようという発想を「重商主義（別名を貿易差額主義）」といいます。

ヨーロッパでは16世紀からこの重商主義が広まり、国益の増大を目的として国家の保護を受けることになります。こうして大航海時代に始まるヨーロッパの世界進出は、さらに加速していくことになります。これにともない、植民地の性質にも変化が生じます。

植民地の変化――「商品の確保」から「市場」へ

大航海時代の先陣を切ったポルトガルやスペインは、それぞれアジア（東インド）や新大陸（西インド）に海外拠点を築きます。これが植民地です。植民地を建設した最大の理由は、「商品の確保」という点に集約できます。ポルトガルは香辛料の産地である東南アジアのモルッカ諸島（香料諸島とも。現インドネシア・マルク諸島）と本国までの航路に、スペインは新大陸で産出される銀などの貴金属の産出地に、それぞれ植民地を広げます。

しかし重商主義の興隆により、今度は自国の製品を外国で売らねばならない（輸出）ので、商品に代わって重視されるようになったのが「市場《しじょう》」でした。言い換えれば、その地にどれくらいの人間がいて、商品を買ってくれるかが焦点となるのです。植民地の役割は、18世紀頃を境に「商品の確保」から「自国製品を消費する（売り上げを得る）市場」へと姿を変えていきます（ただし「市場を拡大」する手段は、植民地の獲得に限定されるわけではありません）。

こうして、ヨーロッパ諸国は世界各地に植民地を築き、ついにはこの植民地をめぐって国際戦争が勃発するに至ります。なかでもイングランド（のちイギリス）とフランスは、ほぼ18世紀の100年間を通じて、海外植民地を巻き込んだ大規模な戦争を何度も戦っています（通称「第二次英仏百年戦争」と呼ばれます。P.88〜90）。

この近世という時代では、世界規模で各地域の動きが連動します。古代にも同様の動きはありましたが、近世ではより緊密に各地が「一体化」していくのです。この「世界の一体化」は、単に「大航海時代でヨーロッパ人が世界各地にやってくるようになった」というだけで説明できるものではありません。まさに世界をひとつにまとめ上げる「新しいシステム」が誕生し、これに様々な地域が呑み込まれていくのです。それでは次に、この近世初期に誕生した「新しいシステム」について見ていくことにしましょう。

問5．大航海時代とはどのような時代か？　簡潔に述べよ。

正解5．「ヨーロッパ商人が世界中で商品を買いまくる時代」である。

3 近代世界システム――「世界の一体化」が始まる！

近代世界システム論

大航海時代はヨーロッパの世界進出という新たな局面をもたらしましたが、それ以上に近世という時代のみならず、世界史全体に影響を及ぼす非常に重要なシステムが作り上げられました。それが今回のテーマである「近代世界システム」です。これはいわば「世界の一体化」の第一歩ともいえる現象でした。中世がヨーロッパだけのローカルな時代であった一方、世界各地域が次々とこの「近代世界システム」に呑み込まれていくことで、世界は半ば強制的に時代の変革を迎えることになるのです。

では、近代世界システムとは何か。それは、1970年代にアメリカの社会学者・経済史学者であったウォーラーステイン（1930～2019）によって発表された、同名の一連の著作で提唱された「超巨視的歴史理論」です。この近代世界システムは今日では批判もありますが、それでもなお、現代世界を捉えるうえで重要な理論として多大な影響を与えたことは、多くの歴史学者が認めるところとなっています。ここでは高等学校世界史の範囲に沿って、この近代世界システムについて見ていきます。

近代世界システムの第一の論点は、「なぜ現代世界は先進国と途上国に分断されているのか」というものです。従来は「ヨーロッパは工業化が早い段階で始まって先進国となり、アジアやアフリカではこれに遅れてしまったために途上国となった」という見解が大勢を占めていました。しかしこの見解では、「アジアやアフリカ、中南米の人々は怠け者だから工業化を十分に進められずに、途上国に落ちこぼれてしまった」ということも可能になります。

もちろんこの見方は明らかに不適切であり、より実態に近い言い方をすれば、「ヨーロッパが工業化したせいで、アジアやアフリカは工業化の道を閉ざされてしまった」とすらいえるのです。では実際のところはどうであったのでしょうか。

大航海時代の到来により、スペイン領となった新大陸で銀鉱山が次々と発見されます。メキシコのサカテカス銀山やボリビアのポトシ銀山といった鉱山で採掘された大量の銀は、スペイン本国をはじめ世界中にもたらされることになります。さて、銀といえば、何に使われるものでしょうか？　正解は「貨幣」です。スペインはこの新大陸からもたらされた銀を、世界中の商取引で使用したのです（図25）。事実、19世紀後期まで銀は国際貿易の共通通貨としての役割を担い続けました。

この銀の世界規模での流通は、各地域にそれぞれ多大な影響を及ぼします。ここで先にそ

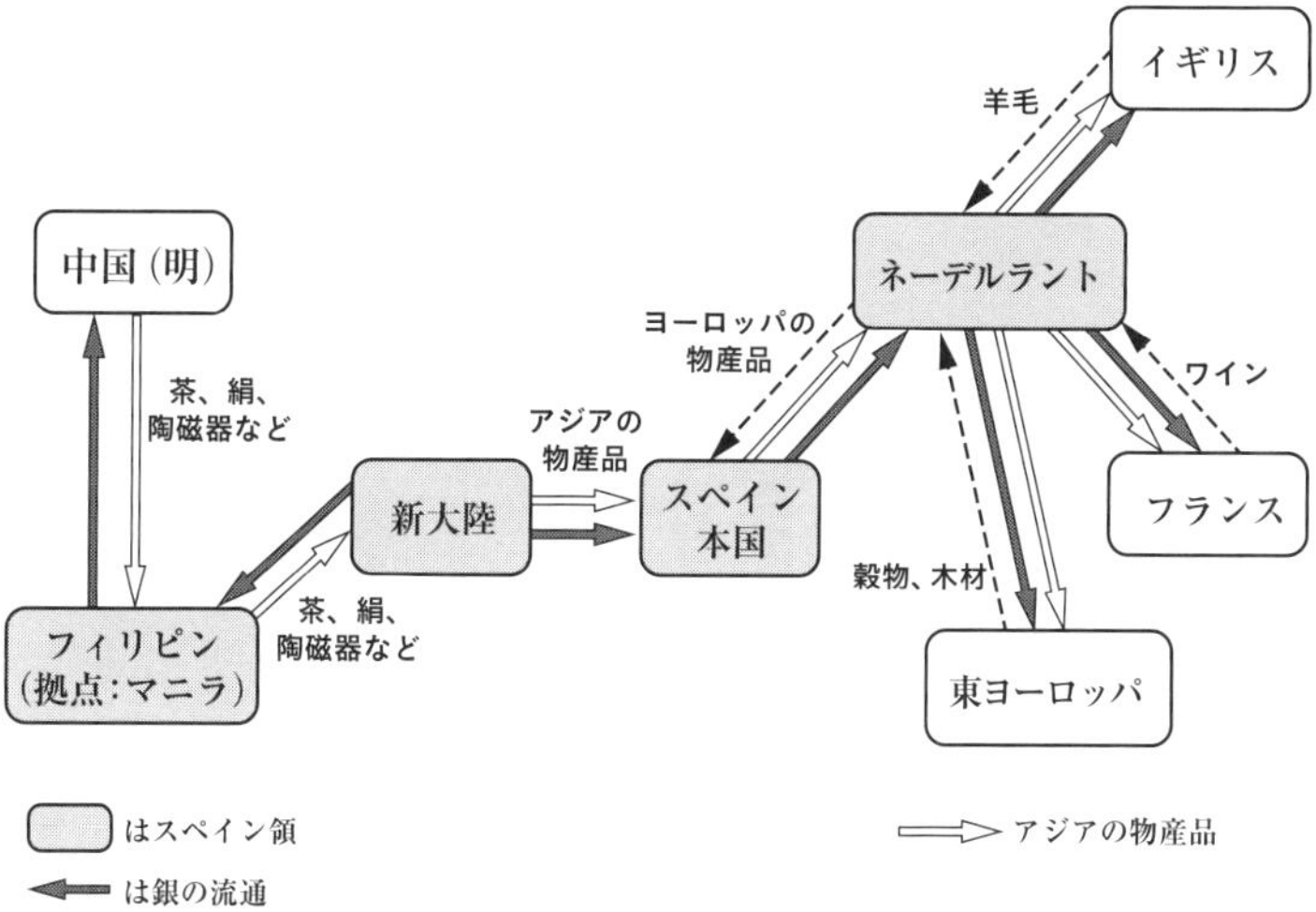

図25　16世紀スペインの植民地と交易

の影響（＝結論）をいうならば、国際分業体制が形成される、という点に尽きます。

銀の大量流入は貨幣量の増加を意味し、このためヨーロッパでは貨幣価値が下落、つまり物価が上昇します。この物価上昇は、決して急激というわけではないのですが、それでもヨーロッパではおよそ100年にわたって断続的に続くことになります。この物価上昇を「価格革命」といいます。価格革命の背景には、銀の流入だけでなく当時のヨーロッパにおける人口増加を根拠とする説も見逃せません。いずれにせよ、価格革命の発生により、ヨーロッパでは西と東でそれぞれ社会に変化が生じます。

価格革命と西ヨーロッパ――工場と資本主義の発達

西ヨーロッパでは、中世後期より農奴解放が進んでいました。農奴解放とは、領主に所有される農奴が身分を買い戻し、自由の身となることです。「身分を買い戻す」とは、農奴が自分の耕している土地を買い取るという意味です。

もともと中世では、農奴は領主より土地を貸し与えられ、その代償（いわばレンタル料）として農作物を貢納していました。しかし、14世紀までに農村にも貨幣経済が普及すると、農奴は貨幣を貯蓄できるようになったため、蓄財で富裕化した農奴は、領主から土地を買い取って自由身分となります。この解放農奴は必然的に土地所有者となり、彼らは世界史では独立自営農民（とくにイングランドではヨーマン）と呼ばれます。

農民といっても、解放農奴は土地所有者、すなわち地主です。ですから資産があるため、必ずしも農業に専念するわけではありません。一部の解放農奴（＝地主）は、買い取った自分の土地に工場を構えます。

この工場は、私たちが想像する近現代の工場と異なる点がひとつあります。それは、機械化が十分でないことです。あくまで手作業が中心ですが、それでも複数の人数で仕事を分担（＝分業）して製品を作るので、職人が丁寧にひとつひとつ作業するよりも時間が短く済みます。ということは、たくさん作れる、つまり製品の価格を安くできるわけですね。価格革命で物価が上昇していることもあり、比較的安価な工場製の製品は継続的な利益を生みます。

こうした手工業を中心とした工場の生産体制を、工場制手工業（マニュファクチュア）といいます。これにより工場を経営するようになった地主（もはや農奴だった面影はどこへやら）は、得られた利潤でさらに経営を拡張し（例えば工場施設をさらに大きくするなど）、より一層富裕化が進みます。

この地主たちの工場で作られた製品——なかでも羊毛を原料とする毛織物が代表的ですが——これがのちに東インド会社などの手により世界中に輸出されるようになります。西ヨーロッパはこうした工場（マニュファクチュア）を経営する地主が、「産業資本家」（通常は省略して単に「資本家」）の走りとなります。いよいよここから資本主義の時代がやってくるのです。

価格革命と東ヨーロッパ——国際分業が世界に広まる

一方で東ヨーロッパでは、西ヨーロッパとは異なり、農奴解放は進んでおらず、領主の権力がまだまだ色濃く残った地域が目立っていました。このため、西ヨーロッパの産業資本家（地主というより、もはや社長）たちの工場で作られた製品がどっと入ってくると、東ヨーロッパはそもそも工場はおろか解放農奴（＝地主）も相対的に少ないので、毛織物のような製品は西ヨーロッパの工場製品に対抗できません。

そこで東ヨーロッパは、西ヨーロッパで価格がとくに高騰していた農産物、なかでも穀物（イングランドでは価格が100年間で2・5倍にも跳ね上がりました）の生産と輸出に集中するようになります。より多くの農産物を必要とするため、東ヨーロッパの領主は農奴支配をより厳格なものとし、かえって農奴制が強化されます。

こうして東ヨーロッパでは、西ヨーロッパの工業製品が絶え間なく流入するため工業化が進まず、輸出した農産物も、利益を生むというよりも西ヨーロッパに「吸い上げられる」というほうが実態に近く、次第に東ヨーロッパは経済的に西ヨーロッパの従属下に置かれます。

結果として、西ヨーロッパは工業製品を作って売りつけ、東ヨーロッパはその工業製品を消費する市場となり、農産物などの原材料を供給するという役割が、それぞれに固定化していきます。これが国際分業化であり、西ヨーロッパは世界進出にともない、東ヨーロッパだけでなくラテンアメリカ（中南米）、アフリカ、さらにはアジアまで経済的な支配下に組み込んでいくことになります。この国際分業化を「近代世界システム」と呼ぶのです。

「中核」と「周辺」

この近代世界システムでは、西ヨーロッパのように経済的に他地域を支配する地域を「中

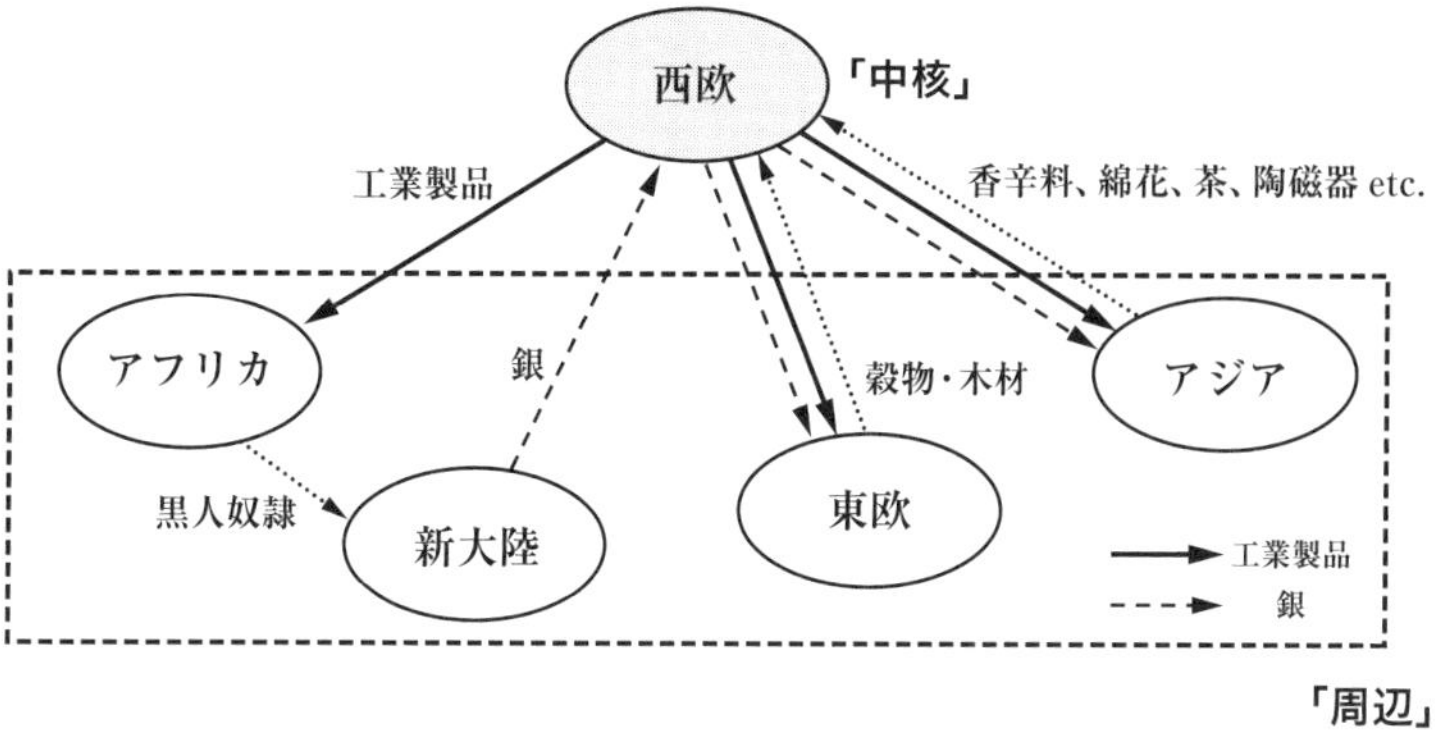

図26　近世における近代世界システムの展開

核」、東ヨーロッパなどのように従属下に置かれた地域を「周辺」と呼びます（図26）。いわば、この「中核」と「周辺」が、今日の「先進国」と「途上国」といった分断の契機といえるわけです。「中核」となった西ヨーロッパは工業製品を世界中に輸出し、それ以外は「周辺」へと転落して、近代世界システムに徐々に組み込まれていくことになります。

上の図26をもとに見ていくと、大航海時代が訪れた西ヨーロッパは、世界中に商取引にやってきます。このとき新大陸産の銀が通貨として世界中でヨーロッパ商人により用いられ、東ヨーロッパやアジアでも貨幣経済が浸透していきます。こうしたなか、さらに西ヨーロッパの工場で生産された工業製品がもたらされ、西ヨーロッパには事実上、世界中の富が集中するようになります（＝「中核」）。

工業製品の市場となった東ヨーロッパの他、銀の生産地である新大陸では、アフリカから黒人奴隷がもたらされます。もちろん黒人奴隷を買い付けるのはヨーロッパ商人です。アフリカは黒人奴隷貿易により恒常的に20～30代を中心とした生産年齢人口を奪われることになり、結果として産業が振るわず「低開発化」に甘んじることになるのです。

ただしアジアは例外でした。18世紀までのアジアは中国（清王朝）を中心に人口・産業ともに西ヨーロッパを大きく凌駕しており（18世紀後半の清だけでも、当時の世界のGDPの約3割を占めました）、アジアの経済的な優位はしばらく揺らぐことはありませんでした。大航海時代のヨーロッパ商人は、アジアで買い物をすることはあっても、売るべきめぼしいヨーロッパ製品を持っていなかったのです。

話を本筋に戻すと、「中核」と呼ばれた西ヨーロッパのなかでも、富が極端に集中する国家が登場します。「中核」のなかでも他国を圧倒する経済力を有する国は「覇権国家」と呼ばれ、文字通り世界の経済覇権を掌中に収める超大国として君臨します。17世紀に当時の新興国オランダが世界最初の覇権国家となり、続いて19世紀にイギリス、そして20世紀はアメリカにその座が移り行くことになります。

近世のヨーロッパでは、この覇権国家の座をめぐり、大国同士が同盟など外交を駆使して、主権国家体制あるいは勢力均衡と呼ばれる国際体制を形成するようになります。これは集団的安全保障体制と呼ばれる、今日の国際体制に通じる理念です（P.80～82）。

いずれにせよ、この近代世界システムは、最終的に全世界を経済で結びつけ、「世界の一体化」という波に呑み込んでいったのです。古代の世界帝国が政治的に結びつきを強めようとして、最終的に分断・瓦解が不可避であったのに対し、この近代世界システム（あるいは世界帝国に対し「世界経済」とも呼びます）は、今日に至るまでその大枠を維持し続けています。

ヨーロッパにおいては「どっちつかずの時代」であったこの近世は、同時に近代世界システムの成立による「世界の一体化」を通じて、世界全土を否応なく巻き込む時代となったのです。

第Ⅱ部
時代区分から読み解く歴史の本質

第4章 近代とは？

1 産業革命——大量生産の時代が到来

近代という時代の特徴（＝システム）については、すでに先の近世の章でも少し触れました。中世が「キリスト教と地方分権の時代」であるならば、近代は「理性（科学）と中央集権の時代」です。「理性の時代」は、近世に始まる科学革命を引き継いで発展していくわけですが、ここでは「中央集権の時代」について見ていきます。

ヨーロッパ世界において、本当の意味で中央集権化が完成するのが、この近代です。中央集権化の完成は、近世から始まるヨーロッパの世界進出を、より一層加速させることにもなります。この点に関しては、近代は「理性と中央集権の時代」であると同時に、「産業革命とナショナリズムの時代」であるともいえます。

この近代の幕開けを告げるのが、最初のテーマである「産業革命」です。ではここでさっそく質問です！

問6．産業革命とは何か。簡潔に説明せよ。

世界史を学んでいなくても、「産業革命」という言葉くらいは、聞いたことがあると思います。しかしこれもまた、いざ説明しろといわれると言葉が詰まりがちになるでしょう。でも大丈夫です。この産業革命も例外ではなく、その根幹はシンプルです。

まずは、産業革命の原語から見ていきましょう。この言葉は、英語のIndustrial Revolutionの訳語です。ここでキーとなるのがindustrialの訳で、「産業の」という意味合いももちろんありますが、本来の意味は「工業の」です。つまり、Industrial Revolutionを直訳に近いように訳すと、「工業の大変化」となります。では「工業の大変化」とは何か。それは、生産手段の革新です。

その革新とは、「機械の登場」、つまり「従来の手作業に代わって、機械が生産を担うようになる」ということです。産業革命の「革命」すなわち大変化とは、「手工業から機械工業への転換」のことで、これが第一義的なニュアンスなのです。したがって、この点からいえば、産業革命は「工業化」と言い換えることができます。

問6．産業革命とは何か。簡潔に説明せよ。
正解6．「手工業から機械工業への転換」。「工業化」ともいう。

「労働者」の誕生——史上初となる社会階層

この機械工業への転換について、もう少し掘り下げていきましょう。まず中世後期より、ヨーロッパで工業が主要産業として台頭しました。なかでも14世紀に西ヨーロッパで農奴解放が進むと、解放農奴が地主となって、自分の土地に工場を構え始めます。これは近世の章でも述べました。

しかし当時の工場は、「近代の工場とは異なる点」がありました。それは「機械化が十分でない」ことでしたね。機織り機のような単純な機器はもちろんありましたが、私たちが想像するような「生産の大半をほぼ自動で担ってくれる」機械にはほど遠いものでした。ですからこの工場の形態を、「工場制手工業（マニュファクチュア）」と呼んだわけです。工場とはいっても基本は手工業、すなわち手作業が大半です。

それが、近代に入ってようやく機械に取って代わり、近代工場が登場するわけです。機械の登場により、それまでのあらゆる生産手段を凌駕する、圧倒的な生産力を手にすることになります。いよいよ大量生産の時代が到来、というわけですね。

さて、この産業革命（＝工業化）は技術革新、つまり機械があるだけでは、社会全体になかなか浸透していきません。端的な例を挙げましょう。ここに工場があります。非常に広いワンフロアの一戸建てです。そこに最新式の機械を目一杯に備え付けました。原料もたっぷりあります。しかし、これだけでは製品は作れません。まだ何かが足りないのです。おわかりでしょうか？

それは「機械を動かす人間」です。近代の工場機械であっても、全自動というわけにはいかず、人間の手が必要です。近世の工場制手工業が、専門技術を持つ農民や職人の手を必要としていたのに対し、近代の工場では、機械のおかげで専門技術はとくに必要ありません。職人とは異なる、純粋な労働力が必要なのです。そして、その労働の対価として、産業資本家（工場の社長）から賃金を得ます。

この「労働力の対価として賃金を得る」人を、「賃金労働者（通常は単に「労働者」と呼びます）」といい、世界史上初めて、この近代に登場するのです。ある国で産業革命、すなわち工業化が進むかどうかは、この労働者が登場するか否かにかかっているともいえます。

イギリスと労働者

世界で最初に産業革命（＝工業化）が始まったのは、18世紀半ばのイギリスです。この18世紀という時代は、ユーラシア全土で人口が急増した時代でもあります。中国（清）では、それまで1億3000万人ほどであった人口が、3億人を突破します（これは戸籍に記録されていなかった人々が、それまでにかなりいたということでもありますが）。

イギリスも中国ほどではないにしろ、人口増加にともない食料不足という問題が起こります。しかし、イギリスは折よく新しい農業の技術が導入され、食料の増産に成功します。これを農業革命といいます。具体的には、ノーフォーク農法（四輪作法）と呼ばれる新しい農業法が普及します。これはかいつまんでいえば、農業と同時に家畜の飼育もできるという画期的なもので、のちに欧米で主流となる混合農業の走りでもあります。

ただ、このノーフォーク農業には欠点がひとつありました。農業と牧畜を両立させるため、より広い土地が必要だったのです。そのため一部の大地主は、近隣の中小農民の土地を柵で囲って無理やり奪い、そのまま占拠してしまいます。これを第二次囲い込みといいます。この囲い込み（英語では「エンクロージャー」）は、なんと当時の議会も後押しして合法としたため、「議会エンクロージャー」とも称されます。

第二次囲い込みで土地を失った中小農民は、ノーフォーク農法の経営者に労働力として雇用されざるを得なくなります。これが「農村労働者（農業労働者）」です。また、農業革命で食料が増産され、人口が増加すると、余剰人口は新たな仕事を求めて、都市部に労働者として移住していきます。これが「都市労働者（工場労働者）」です。一口に「労働者」といっても、2種類に分かれるわけです。イギリスは農業革命により労働力（＝労働者）を確保し、これにより産業革命（＝工業化）が進行していくのです。

フランスと労働者

一方、対照的なのがフランスです。革命が勃発したこの国では、1793年に政権を掌握したジャコバン派（山岳派）という政治党派の改革で、「封建地代の無償廃止」がなされました。フランスでは革命勃発の直後に農奴制が廃止されました（封建的特権の廃止）が、土地は領主（あるいは貴族）のものだったので、解放農奴は土地が得られませんでした。ところが、ジャコバン政権では、領主や貴族から土地を取り上げ、すべての農民に分配したのです。これによりフランスでは労働者が少数にとどまり、結果として工業化がゆっくりしたペースでしか進まず、今日に至るまで農業国としてあり続けることになるのです。

いずれにせよ、この産業革命（＝工業化）は、18世紀半ばのイギリスを皮切りに、欧米さらには日本にまで広まっていくことになります。しかし、工業化を果たしたこれらの国々は、ある問題に直面します。せっかく作った製品が売れないのです。さて、売れないとはどういうことか？　また、その解決策とはどういったものであったのか？　この点について、次の節で掘り下げていきましょう。

2 ナショナリズム——前近代に「国民」はいなかった!!

工業化を目指して——イギリスに対抗するには？

さて、工業化が進み、せっかく大量生産できた製品が売れないとはどういうことでしょうか。ここで再び注目したいのが、近世の章で紹介した「近代世界システム」です。先に、「ヨーロッパが工業化したせいで、アジアやアフリカは工業化の道を閉ざされてしまった」ということを紹介しました。同じことは、当時のヨーロッパにもいえます。

つまり、「イギリスが世界で最初に工業化をしたので、他のヨーロッパ諸国は工業化の道を閉ざされる恐れがあった」ということです。理由は単純で、イギリスが工業化によって大量に生産した安価な綿の布が、ある国に輸出されると、その国では対抗できる生産手段がないので、イギリスに綿布市場を乗っ取られてしまいます。しかし、当時のヨーロッパでは重商主義政策という考えがありました。これは「輸出と輸入の差額（＝貿易差額）を最大化する政策」のことでしたね。

輸出攻勢を抑えるにはどうすればよいか。そう、高率の関税をかけます。イギリスの絶え間ない輸出（自由貿易主義といいます）に対抗して、各国では高率の関税をかけ、自国の市場を守ろうとする姿勢が見られました。このように、自国の市場を守るための主義・主張を「保護貿易主義」といいます。こうしてイギリスの製品を自国から排除し、その間に工業化を進めていくのですね。

ここでようやく、最初の「自国で作った製品が売れない」という疑問に戻ります。国内ではもちろん売れますが、それでは市場としては十分とはいえません。そこでイギリスのように海外市場へ輸出しようとします。ところがこれができないのです。他のヨーロッパ諸国も保護貿易で高率の関税を設定しており、輸出できるような状況ではありません。ましてや、圧倒的な生産力を誇るイギリスに輸出しても勝ち目はありません。

もはや万策尽きたか……さにあらず！　というのも、「ヨーロッパで」売れないわけであって、「ヨーロッパの外」はまだまだ市場として可能性が残っているからです。そこで欧米各国は海外市場を求めて、こぞって世界進出を進めます。その典型が「植民地」なのです。

工業の時代では、もはや香辛料や綿花といった特産品を必要としません。重要なのは、どのくらい市場として有望か、つまりどの程度の人口を有している地域か、ということです。この点でいえば、イギリスの植民地であったインドは、まさに理想的でした。インドは現在もそうですが、非常に多くの人口を擁する地域です。だからこそ、イギリスにとって最重要植民地であり続けたのです。こうして列強と呼ばれた諸国が、海外市場、とくに植民地を求めて積極的に海外へ進出していきます。これを、「世界分割」または「帝国主義」と呼びます。

保護貿易主義という高いハードル

しかし、以上の過程はあくまでセオリーであり、理想論です。どこの国でも、保護貿易→工業化→海外進出、とスムーズに移行できるわけではありません。むしろ、そうでないほうが一般的とすらいえます。このうち一番ハードルが高いのが、実は最初の「保護貿易」の段階です。

そもそも、近世に産業資本家が登場したとはいえ、彼らが一国の人口に占める割合はごくわずかです。この産業資本家と対立するのが農家、なかでも大地主です。農家は、農産物をより積極的に輸出したいので、関税は歓迎できません。そのため農家の大地主らは自由貿易を主張します。欧米諸国では、この資本家と農家の対立が必ずといってもいいほど生じています。

例えば、アメリカ合衆国では、すでにイギリスの植民地時代から、北部は商工業地帯、南部は農業地帯という傾向が生まれつつあり、これが西部開拓と工業化の進行にともない、南北対立が激化します。保護貿易を主張する北部に対し、イギリスへの綿花輸出をより積極的に進めたい南部は自由貿易を主張し、さらにこれに、奴隷制への賛否など様々な要因があいまって、ついに南北戦争（1861〜65）という、アメリカ史上最大規模の内戦が繰り広げられます（イギリスの場合は特殊で、資本家が自由貿易を主張し、農家が保護貿易を主張するという、他の諸国と逆になっています）。

これと同じ事態が、南北戦争から70年ほどさかのぼったフランスでも生じました。フランスではルイ14世（位：1643〜1715）の治世で重商主義が重視されたこともあり、保護貿易がとられていましたが、続くルイ15世（位：1715〜74）の治世では、当時フランスで盛んになりつつあった重農主義がとられます。重農主義はその名の通り、「富の唯一の源泉は農業である」として、重商主義の保護貿易のような政府による商取引の制限を批判し、経済の自由放任（フランス語で「レッセ＝フェール」、「なすに任せよ」の意）を主張しました。農業を盛んにするためにも、関税のような貿易の障壁を取り払い、農産物の輸出を促す、いわば自由貿易の主張です。

フランスは古くから人口に占める農民の割合が多く（18世紀末には人口の85％が農民）、そういった意味では重農主義はごく「自然な」理論ではありましたが、これは当時勃興しつつあった産業資本家たちの不興を買います。そうしたなか、ルイ16世（位：1774〜92）は、1786年にイギリスと通商条約（英仏通商条約またはイーデン条約）を結びました。これは、フランスがイギリス製品に課していた関税の引き下げに同意したものです。

ここまでくると、もはや資本家も黙っていません。当時のフランス王室の深刻な財政難を理由とした増税も後押しし、1789年、ついにバスティーユ牢獄がパリ市民の襲撃に遭います。フランス革命の勃発です。そしてこのフランス革命は、サンキュロットや貧困層だけでなく、資本家をはじめ様々な社会層の人々の異なる目的が折り重なった複合革命なのです。したがって、フランス革命は、自由貿易を促進する王室の政策に反発した資本家が主導した革命、と捉えることもできるのです。

このように、産業革命（=工業化）を成し遂げるには、まず国内世論の一致を見なければなりません。強力な中央集権政府を打ち立て、そのうえで保護貿易政策を実行し、国内産業を育成する必要があるのです。しかし、近世ヨーロッパの政府は、いずれも中央集権が充分とはいえないものでした。革命で打倒されるフランスの絶対王政も、「絶対」と名が付く割には王権の届く範囲は、名称とは裏腹に限られたものだったのです。

近代での中央集権は、古代のように地方の権力者の権限を奪うような、力による政策とは異なるものでした。それが、先に述べたフランス革命で生じた「ナショナリズム」なのです。

ナショナリズムの歴史

さて、このナショナリズムとはいったい何か。ナショナリズム（Nationalism）という語は大変翻訳しづらい言葉で、「国家主義」や「国粋主義」「民族主義」とも訳されますが、どれもしっくりきません。ナショナリズムとは、端的にいえば「国民を統合するためのエネルギー」を指します。これには愛国心であったり、共通の文化であったり、政治的なプロパガンダであったりと様々な要素が含まれます。その性質を捉えるために、ここではフランス革命からナショナリズムが形成されていく過程を見ていきましょう。

ナショナリズムは近代で形成あるいは完成されたものではありますが、その起源や契機となる観念は中世後期から芽生え始めていました。もともと英語のNationalismはnationという言葉から派生した語ですが、このnationは現在では「国民」と訳されます。Nationの語源はラテン語のnatioであり、その意味は「生まれ、出自」でした。ラテン語を公用語とした古代のローマ帝国では、ローマ帝国内に住む市民（ラテン語でキウィスcivis）に対して、その外に住む者、すなわち「よそ者」を指す言葉でした。これが近世のフランス絶対王政では、主権者である国王に対し、身分・階層に関係なく「臣民」を指す言葉としてnatioの語が使用されるようになりました。これだけ見ると言葉の意味を取り違えているように思えるかもしれませんが、「市民（civis）」と「臣民（nation）」には明確な違いがあります。それは「市民権」の有無です。

古代ヨーロッパと市民権

　ここでは古代まで遡って、そもそも市民権とはいったい何だったのかについて見ていきます。ローマ帝国における「市民(より正確にはローマ市民)」は、「ローマ市民権を有する人々」です。ローマ帝国の時代には形骸化が進んでいましたが、元来このローマ市民権とは、「民会」と呼ばれる市民集会に参加する権利を指します。

　ローマの起源は都市国家にあります。この都市国家であったローマは、都市の住民たちが国家の防衛にもあたっていました。ただし、武器や防具は自分で用意せねばならず、またそれ以上に住民自らが命がけで戦うわけですから、それ相応の見返りが必要です。その見返りこそが、「参政権」なのです。国家防衛に貢献すれば、国政への発言権を認める、というわけです。これについては、第1章の「都市国家と領域国家」(P.123)でも触れました。ローマに限らず、ギリシアのポリスも、古代ゲルマン人の部族社会も、基本的には同様です。

　古代ヨーロッパにおける「市民」とは、「軍役を果たしその見返りに参政権を得た、相対的なエリート層」のことを指します。この軍役と引き換えに参政権を得るという社会制度を、「市民皆兵制」と呼びます。そしてこの参政権こそが市民権の根幹なのです。しかし、ローマが領域を拡大し、領域国家となると、もはや市民権の条件は軍役ではなく「納税」に取って代わりました。市民は政治参加を果たす、というより「国家の法の保護下に置かれる」、といったニュアンスが強くなっていったのです。

フランス革命——国民の誕生

続く中世は「キリスト教と地方分権の時代」であり、教会と領主がその主役でしたが、両者は十字軍遠征を機に次第に衰退し、代わってフランスでは王権が相対的に強まっていきました。これについては、第3章の「どっちつかずの時代??」（P.166）で説明しました。フランスでは国王に権力が集中する「絶対王政」が確立していきます。

ただし、先述のように国王の命令や意図は、当時の臣民の隅々にまで直接行き渡っていたわけではありません。国王の命令はおもに社団という、貴族や聖職者、産業資本家（ブルジョワ）、都市の職人組合（ギルド）といった団体にとどまり、また国王であっても、この社団の意見を無視するわけにはいかなかったのです。

そのフランスで革命が起きました。フランス革命の当初の目的は、憲法を制定し、イギリスのような立憲君主国家を目指すものでした。まず人権宣言が発表され、絶対王政下の身分制度を否定し、フランス史上初の憲法である1791年憲法が制定されました。この憲法によって翌年には立法議会という議会が発足しましたが、この議会の多数派を占めたのが産業資本家、フランス語でブルジョワと呼ばれる人々でした。ブルジョワは国王の存在を否定し、あくまで共和政を打ち立てるべしと主張します。

1792年3月に、ブルジョワは政権を握りました。このブルジョワを中心とした一派をジロンド派といいます。このジロンド派内閣は同年、ついに王権を停止し、共和政を宣言します。さて、ここである問題が生じます。それまでフランスでは主権者（近世から形成された理念で、ここではひとまず為政者と捉えてください）は国王でしたが、では今度は誰を主権者にすべきか？　ということです。貴族？　聖職者？　商人？　職人？　資本家？　農民？……答えは、これらすべてです。フランスの人民が、代わって主権者になるということです。

しかし、都市国家の古代とは異なり、フランスの人民すべてが集まるのは現実的ではありません。そこで、選挙権を与えたのです。フランスではこのジロンド派内閣が、政権を取った1792年、9月に史上初となる男子普通選挙を実施します。こうしてフランスの人民は、それまでの「臣民」から、参政権を与えられ「国民」となりました。世界史で最初となる「国民」誕生の瞬間です。

革命戦争・ナポレオン戦争が、ナショナリズムを育んだ

しかしこのジロンド派内閣は、あろうことかオーストリアに宣戦布告し（オーストリアは当時のフランス国王ルイ16世の王妃マリ＝アントワネットの出身国です）、各地で連敗を喫

します。また共和政を宣言してからも、ジロンド派内閣はさらなる失態を犯します。1793年の年明け早々に、ルイ16世を処刑したのです。これを受けてヨーロッパ諸国は、フランスへの警戒心を高め、イギリスを中心に第一回対仏大同盟が結成されます。イギリス、オーストリア、プロイセン、スペイン、オランダといった国々を同時に相手にしなければならなくなったのです。

フランスは完全に孤立無援、さらに国内では様々な党派が政権をめぐって争いを繰り広げ、国内情勢もまた混乱の極みにありました。まさに内憂外患、絶体絶命です。しかし、とにかく侵攻してくる外国軍に対抗しようと、フランスではこれも史上初となる国民皆兵の徴兵制が敷かれました。とはいえ、誰だって戦場には行きたくないので、すぐに徴兵制に対する反対運動が各地で生じます。

このため革命政府は2つの主張をします。ひとつは、先ほど述べた参政権です。ヨーロッパでは市民皆兵制の伝統があり、これに着想を得て「参政権を与えたのだから徴兵に協力せよ」と迫るのです。もうひとつは、当時のフランスの危機的状況です。「今ここで祖国を守らねば、せっかく手にした自由や平等が、無に帰してしまうかもしれない。祖国の自由のために立ち上がるべし」ということです。どちらも参政権をダシに使っているという点では同じですが、とくに後者ではフランス国民の郷土愛に訴えたわけです。

この結果、フランスでは国民皆兵による史上初の国民軍が編成されることになりますが、ここであの人物が登場します。そう、ナポレオン＝ボナパルトです。彼の天才的な戦術のもと、国民軍は劣勢をはねのけ、ついにはヨーロッパ制覇を成し遂げます。これによりフランス国民はさらに愛国心を強め、ナショナリズムを形成していくことになります。

ナショナリズムはナポレオンによるヨーロッパ制覇により、瞬く間に広まりました。諸国はナポレオンとフランス軍の強さの秘訣が、ナショナリズムや国民の概念にあることを理解したのです。これにより、ナポレオンに征服された各国でも、最終的にナショナリズムのもとに国民が立ち上がり、ナポレオンを撃破することになります。ナポレオンにとっては、自分たちの強みであったナショナリズムが自身の凋落の原因となるという、何とも皮肉な結果に帰結したのです。

こうしてヨーロッパに、新たなイデオロギーであるナショナリズムが登場しました。このナショナリズムによる国家統合を進め、強力な中央集権政府を築いた国は、工業化を進め、列強として世界を分割する側に回ります。逆にいえば、これが未完成に終わった国は、列強に植民地あるいは市場として蚕食される運命となりました。まさに「食うか食われるか」の明暗を分ける時代、それが近代だったのです。

第Ⅱ部
時代区分から読み解く歴史の本質

終章

世界史の全体像——古代、中世、近世、近代を整理する

ここまでの4章で、古代、中世、近世、近代という時代区分の特徴＝システムについて見てきました。本章ではこれらをもう一度振り返ってみましょう。いわば「世界史の全体像」を概観します。ここでは古代、中世、近世、近代を世界各地に当てはめ、そのうえで世界史の概観図を描いていきます。

まずは「古代」。古代では都市国家→領域国家→世界帝国という3段階を踏むことを述べました。ここでキーとなるのが、領域国家です。領域国家とは官僚制、すなわち全国規模での徴税制度を整備した国家です。この前近代における官僚制は、地域ごとに差異があるとはいえ、基本的な構造そのものは同じです。

なかでも中国の諸王朝は、秦の始皇帝が全国に広げた郡県制という官僚制から大きくは変化していないといってもよいでしょう。中国の国家体制は、7世紀の唐王朝でほぼ完成し、これが最後の王朝・清まで継承されるのです。また、イスラーム世界でもこの傾向は同じです。

イスラーム世界で官僚の中心となったのは、イラン人でした。イランはかつて史上2番目の世界帝国であるアケメネス朝の故地であり、このアケメネス朝の官僚制は、ユーラシア諸地域の官僚制に多大な影響を及ぼしました。このため中国を中心とする東アジアやイスラーム世界では、古代の国家体制が継承された、言い換えるとアジアでの古代は16世紀頃まで継続していたということもできるでしょう。

また古代からの世界帝国の集大成といえる存在が、モンゴル帝国（大モンゴル国）でした。13世紀にユーラシアを制覇したモンゴルは、世界帝国すら自分たちの帝国に取り込み、モンゴル帝国の崩壊後も、アジア諸国の国家の在り方に多大な影響を与えました。

次に「中世」。これは西ヨーロッパだけに見られた、きわめてローカルな時代でした。そもそも、「ヨーロッパ世界」は中世において初めて誕生したわけです。キリスト教と地方分権という特徴を持ち、とりわけローマ＝カトリック教会の影響が絶大だったという点は、他地域・時代とは一線を画しています。他方で東ヨーロッパには、ローマ帝国が東西に分裂して成立した東ローマ帝国（ビザンツ帝国）と、東ローマの影響を受けた東欧諸国が存続し、かろうじて古代がヨーロッパでも継承されていました。

このように5～15世紀までは、ユーラシアでは古代と中世が併存していましたが、1500年頃を境にこの状況に変化が訪れます。それが大航海時代です。ヨーロッパで大航海時代が始まったことにより、「世界の一体化」が始まります。いわゆる「近代世界システム」の成立ですね。この近代世界システムに、ユーラシアはおろか世界中が組み込まれ、「近世」という時代に、世界は否応なく呑み込まれていくことになります。

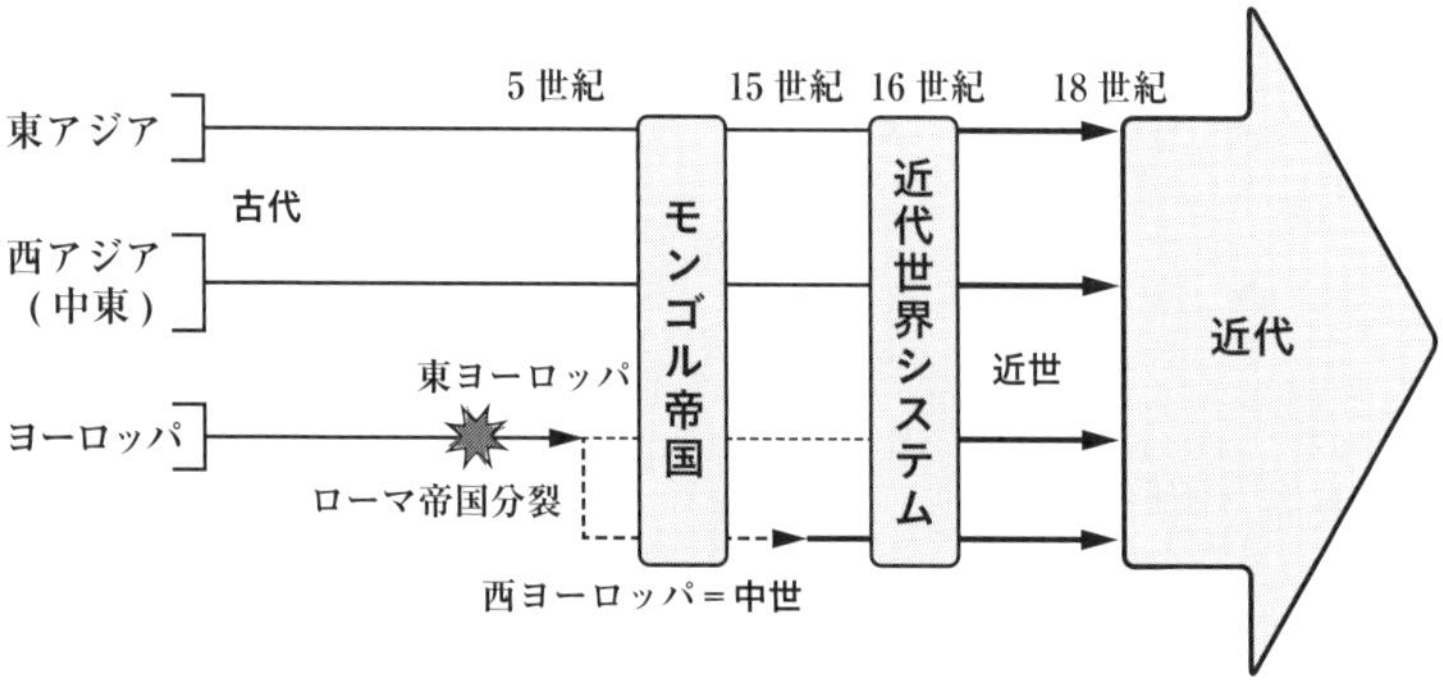

図27　世界史の全体像

さらに「近代」では、ヨーロッパで始まった産業革命（工業化）とナショナリズムのうねりに世界中が呑み込まれ、近代世界システムがより固定化されることになります。

さて、ここまで振り返ってお気づきでしょうか？　古代や近代といった時代区分は、必ずしも「〇〇年〜××年」というように明確に区切れるものではありません。一方で、この時代区分は、地域によってもその長さが異なっています。例えば、12世紀であれば、アジアは古代ですが、ヨーロッパは中世といった具合です。

したがって、これらを図にまとめると図27のようになります。中国（とその影響を受けた諸国を東アジア文化圏といいます）やイスラーム世界などのアジアでは、古代がおおよそ1500年頃まで続きます。一方で、地中海世界では、ローマ帝国の分裂とゲルマン人の大移動により、500年頃より西ヨーロッパで中世が始まり、東ヨーロッパは古代を維持します。

それが、大航海時代により近代世界システムが構築されると、次第に世界中がこのシステムに呑み込まれ、段階的に近世という時代を迎えます。近代は、産業革命とナショナリズムにより強大な国民国家が形成されると、これらが市場を求めて積極的に海外へ進出する世界分割の時代（＝帝国主義）を迎え、近代世界システムがいわば上書きされるのです。

世界史の捉え方、時代区分の解説は以上です。この知識を前提に、ここからはみなさんを、真の知的興奮の世界へご招待することにしましょう。

第Ⅲ部
世界史を再発見する歴史の視点
――より深い理解へ導く見方

第1章

交通網がつないだ帝国
――すべての帝国は道を通す！

1 帝国が必ず手掛けるものとは⁉

統一事業――帝国を維持するということ

本章では、古代の特徴（＝システム）である帝国、すなわち「世界帝国」について掘り下げていきましょう。

さて、さっそくですがクエスチョンを！ 読者のみなさんは、統一事業を果たした帝国の初代君主になったつもりで、ぜひ考えてみてください‼

問7．古代において帝国を維持するために、何をすべきか？ その事業を答えよ。

この問いで気をつけていただきたいのは、あくまで古代が前提となっていることです。ですから、現代のテクノロジー、例えばインターネットや飛行機、電車、自動車、ロボット機械などは、ないものと考えてください。

今回の問いは、もちろん正解がひとつだけとは限りません。そのため、実際の世界史では何が多かったか、これを正解例とします。まず正解を知る前に、帝国をめぐる状況・前提についておさらいしていきましょう。帝国、正確には世界帝国とは、多民族国家のことでしたね。民族とは「共通の言語を使用する集団」くらいに捉えてください。

帝国には様々な民族が混在しています。民族が混在しているということは、言語だけでなく、文化も同様に多岐にわたります。慣習などの決まり、長さや重さといった単位、経済基盤、さらには貨幣まで（そもそも貨幣を使っているかどうかという問題も含みます）、挙げていけばきりがありません。帝国で大変なのは、統一戦争よりもむしろ、統一を維持するための「制度の統一」のほうなのです。

したがって、国家体制の整備は必須といえます。読者のなかには、例えば「単位の統一（世界史では「度量衡《どりょうこう》の統一」といいます）」、あるいは「貨幣の統一」や「法の統一」などと答えた方もいるでしょう。さらにもう一歩踏み込んで、「言語の統一」と答えた方も鋭いといえます。実際、公式・非公式を問わず「公用語」の使用は、どの世界帝国でも普遍的に見られます。

こういった、いわば「制度の統一」は、帝国の維持に不可欠なものばかりです。また、この制度の統一は帝国の屋台骨ともいえる官僚制、すなわち徴税システムの維持にも欠かせません。しかし、ここである問題が持ち上がります。「統一した制度を、いったいどのようにして帝国全土で普及させるか」ということです。

多民族国家である帝国は、必然的に広大な領土を有しています。したがって、仮に制度を統一したところで、その制度が定着するのに時間がかかるのはもちろん、そもそも広大な領域にその制度をどのように知らしめるか、という点も問題となるのです。ですから、歴史上の世界帝国では、この問題を解消するために、必ずといっていいほどある事業に取り組みます。しかも、決まって初代君主や帝国成立の初期段階でこの事業に取り組むのです。

それでは正解例です。それは「道路を造ること」、すなわち全国規模の交通網を整備することです。

問7．古代において帝国を維持するために、何をすべきか？　その事業を答えよ。

正解7．「道路を造ること」である。

なぜ道路なのか

「道路を造る」、つまり交通網を整備することで何が生じるのか？　順番に見ていきましょう。

まずは、いうまでもありませんが、道路網を整備することで、人やモノの往来が活発になります。道路を造る、というだけなら簡単ですが、そのためには山野を切り拓き、谷や河川に橋を渡すなど、大変な時間と労力がかかる事業です。しかし、その分、見返りも大きいのです。例えば、首都から遠く離れた辺境で反乱が起きたとしましょう。道路を整備しておけば、迅速に軍隊を派遣し鎮圧できます。あるいは、辺境の領土を拠点に、国境外へと遠征するにも便利です。

地方で生じた出来事を素早く首都まで伝えるというように、情報伝達の手段としても重要な役割を果たします。また、道路は何も戦争だけに利用されるわけではありません。平時には、道路は民間人が行き交います。とりわけ道路を利用するのが商人です。遠方の珍しい物産を扱う取引は、帝国内だけでなく、世界中の商人たちを惹きつけます。また、多くの帝国がこれら商人や商業を保護し、その見返りに税を課すことで国庫を潤すのです。

ここからは、世界史に登場する世界帝国の道路を取り上げていきましょう。前近代では移動手段が人力か動物（圧倒的に多いのが馬です）にほぼ限定されているため、道路網に沿って宿泊所や駅などが用意されることも多々あります。この宿泊所や駅を介した道路網を、「駅伝制」といいます。この「駅伝制」は、古くは史上初の世界帝国であるアッシリアですでに整備され、またユーラシアの大半を制覇したあのモンゴル帝国も、ジャムチ（站赤）と呼ばれる駅伝制を、やはり帝国全土に整備しました。モンゴルの駅伝制と道路網は、のちにモンゴルから独立するロシア国家にも継承されます。

古代世界で最高峰の道路網を誇ったのが、地中海のローマ帝国です。「すべての道はローマに通ず」という諺にあるように、ローマは帝国各地の属州と首都ローマを結ぶ長大な道路網を整備しました。ローマの場合はもはや比喩というより直喩、つまり本当に道路でローマと各地がつながっていたわけです。

中国もまた同様でした。中国最初の統一王朝である秦は、始皇帝の下、全国規模で道路網の整備を進めます。秦の道路は「直道《ちょくどう》」と「馳道《ちどう》」という2種類に分かれていることに特徴があり、直道は北方民族などの侵入に対処する軍用の、馳道は皇帝専用（皇帝一行が使用するのは中央部で、両端に民間人用の道路も併設されていました）の道路です。なかでも直道は、首都の咸陽《かんよう》から最短ルートで結ばれるように敷かれています。用途に応じて道路を分けるという秦の交通網は、他地域と比べて一線を画したものといえるでしょう。

近代に発達した交通網といえば鉄道が挙げられます。19世紀にドイツ統一を達成したプロイセン王国は、普墺戦争（プロイセン＝オーストリア戦争：１８６６）や普仏戦争（プロイセン＝フランス戦争：１８７０〜71）でオーストリアやフランスといった大国と戦いましたが、この勝敗を分けたのが鉄道でした。プロイセンは自国やドイツ各地へと通じる鉄道網を整備し、これにより分進合撃、つまり鉄道で兵士や物資を輸送し、戦場で合流させるという作戦を用いたので、迅速な軍事行動が可能となったのです。

19世紀末より帝国主義の時代に突入すると、列強各国はこぞって外国や植民地に鉄道を敷きます。また、鉄道事業は、海外投資において有望な投資先として人気を集めました。

道路がもたらす「光と影」

そして、世界帝国のキーワードといえば、「融合」と「普遍」でした。これらを促したのも、交通網であったといえます。交通網の整備により、帝国各地の民族同士の交流が活発になり、次第に彼らの文化が混ざり始めます。同化政策に限らず、強制力をともなわない文化の収斂作用としても働くのです。これが「融合」の始まりですね。このように融合を果たした文化は、いわば各民族の文化のいいとこどりになるため、「いつでもどこでも」変わらない性質、「普遍」性を備えることになるわけです。

また、帝国が世界中に並び立つと、それぞれの帝国で交通・交易が活発になるため、ユーラシアを結んだ交流もまた活発になります。その中心はやはり商業です。こうして、「草原の道」（ステップロード）、「オアシスの道」（シルクロード）、「海の道」（マリンロード）といった、いわゆる「3本の道」もまた活性化します。中国の歴史書『後漢書』によると、紀元後2世紀の後漢に、「大秦王安敦《だいしんおうあんとん》」の使者を名乗る男が、通商を求めて来訪したとの記述があります。この「大秦」とはローマ帝国を、そして「安敦」とは当時のローマ皇帝であるマルクス＝アウレリウス＝アントニヌス帝のこととされます（実はローマ帝国の正式な使者であったかについては、ほぼ否定されているのですが）。帝国の勃興は、ユーラシアの東西交流をも育んできたのです。

しかし、帝国や道路網は時に「招かれざる客」を広めることにもなります。南アメリカのアンデス山脈に栄えたインカ帝国は、その優れた道路網により天然痘《てんねんとう》のような流行病が全土に広まり、帝国の滅亡を早めたといわれます。また先ほど触れたモンゴル帝国は、帝国全土（言い換えるとユーラシア大陸の広域）に交通網を整備しましたが、この交通網を介して黒死病がユーラシア全土に広まることになります。この黒死病によって、14世紀にユーラシア全土で75～２００万人が死亡したとされ、史上最初のパンデミックと見なされます。

このように、帝国と道路がもたらした影響は、計り知れないものがあります。では、ここからはその道路がもたらした具体例のひとつ、交易でも疫病でもない「文化」を取り上げ、さらに詳しく見ていくことにしましょう。

2 ローマ街道――街道から広がるローマ支配

「ローマ化」の遺産――ローマ街道は現代に続く

ここでテーマとするのは、「ローマ街道」です。古代のローマ人は、かつて自分たちを支配していたエトルリア人から土木技術を継承し、それを高度に発展させてきました。コロッセウム（コロッセオ）やパンテオン（万神殿）、ハドリアヌスの長城、ヨーロッパ各地の水道橋など、2000年近く経過した現在でも、ローマ時代の建築物の遺構が各地に良好な保存状態を保ったまま残っているのです。

これらの遺構と同じく、ヨーロッパ各地でローマ街道の遺構を見ることができます。ローマ街道の建設は、前4世紀より始まります。この時代のローマはイタリア半島各地の勢力と抗争しており、征服地や遠征地への迅速な行軍が可能となるよう、イタリア中に道路網を敷いていきます。この時期の最古のものが、アッピア街道です。

アッピア街道は最終的に、ローマ市とブルンディシウム（現ブリンディジ）やタレントゥム（現タラント：前272年にこの地が陥落して、ローマはイタリア半島を統一します）などをつなぎ、「街道の女王」とも呼ばれます。

ではこのローマ街道が果たした最大の役割とは何か。ローマはイタリア半島外の征服地を「属州（provincia）」として組み込み、総督を派遣して統治にあたります。これにともない、ローマはさらにあるものを輸出します。それは「ローマ文化」です。ローマは属州に対し、ローマの慣習、法体系、度量衡といった制度などを積極的に輸出したのです。いわば同化政策ですね。この同化政策を進めたことで、ローマ帝国は地中海全域にほぼ均質といってよいほどの文化を広めることとなったのです。

その影響力たるや相当なもので、例えば今日のヨーロッパの主要都市は、その多くがローマ帝国の建設したローマ都市に起源があります。ロンディニウム（現ロンドン）、ルテティア＝パリシオールム（現パリ）、ウィンドボナ（現ウィーン）、コロニア＝アグリッピナ（現ケルン）、シンギドゥヌム（現ベオグラード）などなど、枚挙に暇《いとま》がありません。

また、今日のアラブ圏でも、アルジェリア、チュニジア、スーダン、イラク、ヨルダンなどで使用されている通貨に「ディナール」がありますが、これは古代ローマの銀貨「デナリウス（denarius）」を語源としています。このように現代に至るまで根強く残ることになるローマ文化は、ローマが属州に敷いた道路網を介して浸透していきました。

ローマ帝国にとって、道路網は同化政策を進めるうえで欠かせないものであったわけです。

この一連の同化政策は、「ローマ化（英語でRomanization）」と呼ばれます。

しかし、こうした同化政策は、属州の先住民たちに無条件で受け入れられたわけではありません。例えば、後9年には、ローマの急速な同化政策に反発したゲルマン人たちが、アルミニウスという人物を指導者に蜂起します。この蜂起を鎮圧しようとしたローマ軍は、トイトブルクの戦いでゲルマン人を相手に、壊滅的な敗北を喫します。これには、当時の皇帝であったアウグストゥス帝（即位前はオクタウィアヌスと呼びます）も動揺を隠せなかったといわれ、以降のローマ帝国では、ライン川とドナウ川を北方の国境としてほぼ固定し、ゲルマン人への外征は消極的になります。

今日でもこの「ライン―ドナウ線」はヨーロッパ文化の境界線とされ、ここを境に南がラテン文化圏（ローマ文化の影響が強い）、北がゲルマン文化圏に大別されます。つまり古代におけるヨーロッパは、南のローマと北のゲルマンという2つの文化圏が並存していたのです。そして、ローマが長い間その統治に頭を抱えていたのが、パレスティナ地域のユダヤ人でした。

古代ユダヤ人――世界帝国に反抗した少数民族

ユダヤ教を信仰しているユダヤ人（ヘブライ人）は、自分たちの信仰を頑として曲げようとせず、ローマ化にも強く反発しました。ローマがユダヤ人を支配したのは前1世紀ですが、以来ローマはユダヤ人の居住するパレスティナ地域（ユダヤ属州）においては、直接統治は困難と判断してか、たびたびユダヤ人有力者たちの手を介した間接統治で臨みました。

しかし、この危ういバランスもついに崩壊します。ローマの支援を受けていたユダヤ人の君主アグリッパ1世が亡くなると、ローマはより一層ユダヤ人への同化政策を強め、ついにはユダヤ人が蜂起します。これが第一次ユダヤ戦争（66～73）です。当時のネロ帝は、ウェスパシアヌス（のちローマ皇帝、位：69～79）とその息子ティトゥス（こちらものちローマ皇帝、位：79～81）らに遠征軍を率いさせ鎮圧にあたります。

ユダヤ人は熾烈な抵抗を続けますが、70年に聖地エルサレムが陥落して、ユダヤ人の主神ヤハウェを祀った神殿も破壊され、さらに73年にはマサダ要塞に籠城していた最後のユダヤ抵抗軍が集団自決により玉砕するという壮絶な最期を遂げます。

さらにハドリアヌス帝の治世（117～138）には、再びユダヤ人がバル＝コクバという人物を指導者に反乱を起こします。第二次ユダヤ戦争（バル＝コクバの乱、132～135）の勃発です。しかし今回も前回と同様、ローマ軍によって鎮圧されます。ハドリアヌス帝は戦後、ユダヤ教の慣習を禁じ、ユダヤ人は決められた日のみ、先の第一次戦争で破壊された神殿の遺構での礼拝を許されました。この遺構が、現存する「嘆きの壁」にあたります。2度のユダヤ戦争の敗北により、自分たちの信仰が損なわれることを恐れたユダヤ人たちは、次第に故郷を後にして、世界中に離散することになります。いわゆるユダヤ人のディアスポラ（大量離散）が始まるのです。

このように、ローマ化は時に現地勢力の根強い抵抗に遭い、結果として大量殺戮や集団移住などにすら発展します。今日風にいえば、民族浄化の一環ともとれます。ただし同様の政策はローマだけでなく、古代オリエントやユダヤ共同体も含め、広く見られたものでもありました。そして、こうしたローマ化が、今日のヨーロッパ文化の源流を成していることもまた事実です。

ローマ街道は、地方の反乱の鎮圧、さらにはローマ化の重要な担い手として、帝国を支え続けたわけです。また、この非常に優れた道路網が、今度はローマに新しい文化を根付かせる要因にもなります。その新しい文化こそが、キリスト教だったのです。

3 ユダヤ教の成立——一神教という画期的宗教！

多神教と一神教

そもそもキリスト教は、ユダヤ教の一派として誕生した教団で、当初は新興宗教というよりも「ユダヤ教における宗教改革」といった側面が強いものでした。少なくとも開祖であるイエス本人は、新興宗教といった意識は持っていなかったように思えます。ですからイエスが伝道を始めた時点では、厳密にはまだキリスト教は成立していなかったといえます。決定的な出来事はイエスの処刑です。問題は残された弟子たちにありました。開祖であるイエスを失ったということは、自分たちの教団の存亡の機に立たされたともいえます。

そこで彼らがとった行動は、パレスティナを後にすることでした。パレスティナではパリサイ派など従来のユダヤ教団の勢力があまりにも強かったのですが、一方でパレスティナから一歩外に出れば、ユダヤ教の影響はほぼなくなります。

なぜユダヤ教はパレスティナだけに勢力が限定されていたのか。ここで、ユダヤ教という宗教の性質に注目してみましょう。では、今回のキークエスチョンはこちら！

問8．古代世界では多神教を信仰する地域・民族が多くを占める。なぜ多神教が多数派なのか？

問いにあるように、古代世界では、圧倒的多数の宗教は多神教に分類されます。多神教とは、文字通りたくさんの神々を信仰する宗教のことです。ギリシア神話の神々や、インド神話、日本の八百万《やおよろず》の神々などがその代表例ですね。問題は、なぜ世界中でこのように多神教が普遍的に見られるのか、ということです。

この問いに答えるためには、まず古代宗教が生み出された理由から考える必要があります。その理由とは、「この世の事象を説明する」という点に尽きます。「なぜ雨が降るのか？」「なぜ火は燃えるのか？」「なぜ昼と夜があるのか？」「なぜ生き物は生まれるのか？　そして死ぬのか？」……古代から人々はこのような疑問を持ち続けており、その解答として宗教が生まれたわけです。誤解を恐れずにいえば、「自然現象を説明するために、すべての原因を神のせいにした」ということになります。「雨が降るのは雨の神のせい」「雷は天の神が怒っているため」「太陽の神と月の神が、交代で天に昇り、昼夜が起きる」などといったように、自然現象のひとつひとつが、それぞれの神のせいであると説明するわけですね。このようにすると、必然的に神の数は多くなり、多神教が形成されるわけです。ですからユダヤ教やキリスト教のように、神が一柱しか存在しない「一神教」の宗教は、古代世界においてはかなり珍しい存在だったといえます。

問8．古代世界では多神教を信仰する地域・民族が多くを占める。なぜ多神教が多数派なのか？

正解8．「自然現象のひとつひとつを、それぞれの神のせいであると説明する」から。

一神教により形作られたユダヤ教思想

では、なぜユダヤ人は一神教を崇拝するようになったのか。今度はこちらにスポットを当ててみましょう。ユダヤ人は、高校の世界史ではヘブライ人（彼らの自称は「イスラエル人」。呼び方が違うだけで、基本的に同じ民族を指すものと考えてください）という名で登場しますが、彼らは紀元前15世紀半ばに、のちに「パレスティナ」と呼ばれる地中海の東岸地域（ほぼ今日のイスラエルにあたります）に定住しました。

当時このパレスティナは、北にヒッタイト（人類史上初めて鉄器を使用した民族・国家）、南にエジプトというように周囲を大国に囲まれており、この地に定住したヘブライ人たちも、こうした大国との抗争に明け暮れていました。しかし、古代から少数民族であったヘブライ人にとって、これら大国との戦いは不利であったとしかいいようがありません。

このためヘブライ人たちは、常に民族一丸となり、総力を結集して戦う必要があったのです。したがって、神は多数であるよりも、ひとつであったほうが都合がよいわけです。事実、ヘブライ人もかつては多神教を信仰していたようですが、時代が下るにつれて信仰がある神へと集中し、他の神々は忘れ去られていったのです。その神というのが「ヤハウェ（ヤーヴェ、エホバ）」です。

ヤハウェはもともと、ヘブライ人が多神教であった頃は火山の神であったようです。当時は活火山であったシナイ山を神格化したものらしく、いわゆる「荒ぶる神」でした。このためヤハウェの性格は戦争にもってこい、ということで、次第に「戦の神」としても崇められるようになります。

ところが、いくらヤハウェを崇めても、ヘブライ人にはどうしても勝てない戦も多々あります。そこでヘブライ人は、この矛盾の解消を図り、次第に今日のユダヤ教と呼ばれる宗教の根幹を形作っていくのです。ここでポイントとなるのが「契約思想」です。今日のユダヤ教信仰の中核でもありますが、その根幹の部分から考えてみましょう。

「契約」は端的にいえば「約束」です。お互いが課した約束を守りましょう、というものですね。ここでいう「お互い」とは、「ヘブライ人」と「ヤハウェ」のことです。まず、ヤハウェはヘブライ人を守ってくれる。その代わりにヘブライ人はヤハウェとの約束、すなわち「契約」をしっかり守る、ということです。とはいえ、「契約」が単なる「約束」と異なるのは、片方が契約を履行しなければ、もう片方も履行しなくてもよいということです。

つまり、ヤハウェは無条件にヘブライ人を守ってくれるわけではありません。ヘブライ人の信仰が十分でないとヤハウェが判断すると、ヤハウェはヘブライ人を守ってくれないのです。しかも守ってくれないどころか、場合によっては「天罰」まで下すのです。その「天罰」とは何だったのかを、ヘブライ人たちの歴史から紐解いていきましょう。

『旧約聖書』の伝承によれば、前1000年頃にヘブライ人はイスラエル王国（統一王国）を建国し、ダヴィデ王やソロモン王といった名君にも恵まれ、全盛期を迎えました。しかし、ソロモン王の死後に王国は南北に分裂し、のちに北のイスラエル王国はアッシリアに、南のユダ王国は新バビロニアに、それぞれ滅ぼされます。

ヘブライ人にとって衝撃であったのが、新バビロニアの王・ネブカドネザル2世が、前586年に行った「バビロン捕囚《ほしゅう》」です。これはエルサレムのヘブライ人たちを、新バビロニアの首都であるバビロンへと強制移住させたもので、一種の同化政策です。ヘブライ人はここで民族存亡の機に立たされました。これらの国難を、ヘブライ人たちは「ヤハウェの天罰だ！」と解釈したわけです。

ヤハウェはそれまでも、「預言者」と呼ばれる人々を介して、ヘブライ人と契約を交わしてきました。なかでも有名なのが、預言者の一人であるモーセが授かった「十戒」です。「十戒」とは「十の戒め」、すなわち「十のやってはダメなこと（＝禁則事項）」です。では仮に十戒を破ってしまったら……？　そうです。ヤハウェが激怒する、すなわち天罰を下すのです。

ユダヤ教にはこの十戒以外にも、様々なヤハウェとの「契約」があります。バビロン捕囚は幸いにして50年ほどで終わりを告げ、ヘブライ人は故郷であるパレスティナへの帰還を果たします。これを教訓にヘブライ人は、ヤハウェへの信仰を、より一層遵守しようとします。まずはヤハウェとの契約をすべて文字に起こし、正確に後世へと伝えます。これが『旧約聖書』です。また、定期的に会堂（シナゴーグ）に信者たちを集め、聖書を読み上げるなどして、ヤハウェとの契約を確認します。これはキリスト教にも影響を与え、「ミサ」として知られることになります。こうして紀元前6世紀から、教団としてのユダヤ教が発足することになったのです。

さて、ここまでユダヤ教の成立過程を見てきましたが、ユダヤ教の性質が何となく見えてきたでしょうか。ユダヤ教の根幹は、「ヤハウェとの契約の遵守」です。仮にこの契約に違反すれば、ヤハウェから天罰を下されかねないのです。ですからヘブライ人（ここからは再びユダヤ人とします）は、ヤハウェとの契約を守るのに精一杯だったのです。

したがって古代のユダヤ教は、布教活動をほとんど行っていません。つまり徹底的に閉鎖的な宗教になったわけです。しかしこれは、ある種の生存戦略としては正しかったといえます。ユダヤ教は誕生から2500年近く経過した今日でもなお、存続しているわけですからね。いずれにせよユダヤ教という宗教は、古代にはパレスティナに根差した閉鎖的な宗教に過ぎなかった、だからこそ新興のキリスト教は、外へ目を向けたのです。

4 キリスト教——布教が世界を席巻する！

宗教改革者としてのイエス

ようやくここでキリスト教に話を向けることができます。前節の冒頭でも述べましたが、イエスはもともと新興宗教を立ち上げるつもりは、それほどなかったと思われます。むしろ彼は、ユダヤ教における改革、それも信仰改革を断行しようとしていたのです。

まずは当時のユダヤ人の状況から見ていきましょう。紀元後30年頃のユダヤ人は、ローマ帝国の属州として支配されていましたが、ローマはユダヤ教の宗派を介して間接統治をしていました。このローマの統治に協力したのが、パリサイ派と呼ばれる祭司の一派で、この派閥は非常に厳格な律法主義を旨としていました。

「律法」とは宗教法のようなもので、日常生活のひとつひとつをルールとして定めたものです。もちろんこの場合の律法は、ヤハウェとの契約を守らせるためのもの。ですから律法主義とは、非常に厳格・厳密なものだったのです。

このためパリサイ派の支配下では、信仰の硬直化、いってみればヤハウェとの契約のために理不尽な生活を強いられるので、ユダヤ人の民衆は苦しい思いをしていたわけです。仮にパリサイ派に意見しようとしても、「ヤハウェの天罰が怖えだろおおお!!??」と脅されるものですから反論もできません。生活に苦しむユダヤ人たちは、徐々にある存在を求めました。いつか自分たちを救済してくれる、ヤハウェが遣《つか》わす選ばれし者です。この存在を「メシア(救世主)」といいます。

こうしたなかで、イエスが登場したのです。イエスの主張は、古代のユダヤ教にとってはまさに画期的なものでした。イエス曰く、「ヤハウェは怖くない」というのです。「ヤハウェは本当は慈愛に満ちた優しい存在であり、人々を苦しめるような契約を交わすわけがない。生きとし生けるものを愛する存在なのだ」と唱えます。だからキリスト教は「隣人愛」なんですね。ヤハウェが自分たちを愛してくれるように、自分たちも隣りの人と愛し合おう、というわけです。

イエスのもとには瞬く間に信者が増え、信者たちは、彼こそがメシアだ、と持ち上げたのです。その結果、イエスはパリサイ派ににらまれ、危険分子としてローマ総督に告発され、磔《はりつけ》に処されます。ここで問題なのが、信者たちを束ねていたイエスという存在を失ってしまったことです(仮にイエスが聖書の通り復活したとしても、そのまま昇天してしまうので、イエスが地上にいないことに変わりはありません)。

教祖（というと、この時点では厳密には異なりますが）であるイエスを失ったということは、教団（これもこの時点では……以下略）の存続の危機であったわけです。残されたイエスの弟子たちは知恵を絞ります。その結果、彼らは一大決心をしました。自らの故郷であるパレスティナを去ることにしたのです。

世界に広まるキリスト教

前節の最後で述べたように、ユダヤ教は非常に閉鎖的です。ヤハウェとの契約を守るだけで精一杯ですからね。そこでイエスの弟子たちは、外へ向かうのです。外といっても、当時は地中海のほぼ全域が、ローマ帝国によって支配されているわけです。だからこそイエスの教えを広める「布教」には、もってこいの環境であったといえます。こうして、イエスの弟子たちを中心とする「使徒」たちにより、「キリスト教」という教団が発足したと見なします。「キリスト」とはギリシア語で「メシア」（救世主）を意味します。

その手始めに、初期キリスト教団は、教典である『新約聖書』を編纂します。ここで重要なのが、ユダヤ教の『旧約聖書』がヘブライ語（ヘブル語）で綴られていたのに対し、『新約聖書』はコイネー（ギリシア語）で書かれていたことです。コイネーは前3世紀からヘレニズム世界の国際共通語であり、当時のローマ帝国の東半分の地域でも広く使用されていた言語です。この点からも、キリスト教が布教を意識した宗教であったことは明らかです。閉鎖性を維持したユダヤ教に対し、キリスト教は布教によって教義を広めることを生存戦術としたわけです。

この布教に当たって、ローマ街道、すなわちローマの交通網が大きく貢献します。初期の使徒の一人であるパウロ（?〜60頃）は、現在のトルコ、ギリシア、シリア、レバノン、イスラエルといった国々を旅してキリスト教を広めました。このため彼は「異邦人への使徒」と呼ばれます。

また、イエスの一番弟子であったペテロ（?〜67?）は、早くに帝国の首都ローマに入り、布教活動に勤しみました。このように初期キリスト教の使徒たちは、ローマ帝国各地にキリスト教を布教したのですが、これを可能としたのがローマの交通網だったわけです。かつては同化政策やローマ化の手段として広げた交通網が、今度はキリスト教という新興宗教によって利用され、帝国全土に広がっていったのです。

キリスト教はローマ帝国でも迫害されましたが、コンスタンティヌス帝（位：306〜337）によって信仰が公認され、さらにテオドシウス帝（位：379〜395）により、最終的には国教にまで指定されます（これにより異教徒の祭典である古代オリンピック最後の大会が開かれ、その幕を閉じることになります）。また、コンスタンティヌス帝に仕えた教父（初期キリスト教会の著述家）であるエウセビオス（263?〜339）は「神寵帝《しんちょうてい》理念」を唱え、ローマの皇帝権がキリスト教の神により正当化されるまでになります。

古代以降も、中世ヨーロッパでは西ヨーロッパ諸国の官僚制の中核として、教会組織（聖職者）の協力なしには国家運営ができないまでになり、キリスト教会（中世ヨーロッパで「ローマ＝カトリック教会」と呼ばれるようになるのでしたね）は絶大な権限を有することになりました。

中世に始まったのが十字軍遠征です。十字軍遠征は単なる軍事征服とは異なり、改宗が大きな焦点となりました。征服した異教徒の土地に、カトリックを布教することで、ヨーロッパの領域が拡大していきます（当時の「ヨーロッパ世界」はほぼ「ローマ＝カトリック圏」を指します）。十字軍遠征の理念は大航海時代にも受け継がれ、これにともないアジアやアフリカなど世界中で布教活動が行われ、キリスト教徒が増加していくことになります。

こうして、キリスト教は世界宗教と呼ばれるまでになりました。そのキリスト教が世界に広まるきっかけをつくったのが、ローマ街道だったともいえるでしょう。

第Ⅲ部
世界史を再発見する歴史の視点
——より深い理解へ導く見方

第2章
中世と馬——1241年、東西の騎馬が対峙したとき

1 「騎士」とは何か？

まずは中世のおさらいを

第2章では「中世」を掘り下げていきます。そこでテーマとするのが、「馬」です。もちろんお馴染みの、動物のお馬さんのことですが、この馬という動物を軸に、ちょっと変わった視点から、中世という時代を見ていくことにしましょう。ここでは中世ヨーロッパ、そして同時代のアジアの騎馬兵を比べながら、ユーラシアにおける両者の激突と交流を概観します。

まずはヨーロッパから、簡単におさらいをしておきましょう。第Ⅱ部で述べたように、中世という時代は「ヨーロッパ（とりわけ西ヨーロッパ）固有の限定的な時代」でした。そして、この中世という時代の2つのキーワードといえば……そう、「キリスト教」と「地方分権」です。ここでは後者の「地方分権」をもう少し掘り下げて見ていきます。中世が地方分権の時代となったのは、9世紀に始まる「第二次民族大移動」が原因でした。

9〜11世紀の間、ヨーロッパはイスラーム教徒にマジャール人やノルマン人といった、様々な外敵の襲来を受けたのでしたね。外敵に直面した地方領主は、自分自身と領地を守るために変化していきます。その変化とは、

①自身の住居を要塞化⇒城
②領主自身が武装、とくに騎乗して戦う⇒騎士

というものでした。その結果、領主たちは自分で自分の身を守ることができ、なおかつ王様の直接の援助も必要としなくなり、事実上の自立を遂げるわけです。こうして中世は地方分権の時代、言い換えれば「領主の時代」となるわけです（P.161〜164）。

馬が意味することとは？

ちょっと立ち止まってみましょう。領主たちは武装して戦士としても戦うようになったわけですが、ここでポイントとなるのが騎乗、つまり馬に乗るようになったということです。実はこの馬にこそ、領主あるいは騎士の本質に迫る、重大な意味が隠されているのです。

その理由が、中世ヨーロッパにおける領主を指す、「騎士」という言葉にあります。そも

そもそも「騎士」は、ヨーロッパでは何と呼ばれているのでしょうか？　以下にその例を挙げると、

フランス語……chevalier
イタリア語……cavaliere
スペイン語……caballero
ドイツ語……Ritter

となります。ドイツ語以外の3カ国語での呼び方が、なんとなく似通っていることにお気づきでしょうか。これらの語は、いずれもある単語から派生しており、それぞれ、

フランス語……chevalier　←cheval
イタリア語……cavaliere　←cavallo
スペイン語……caballero　←caballo
ドイツ語……Ritter　←reiten

が語源となっています。そして、cheval（仏）、cavallo（伊）、caballo（西）は、いずれも「馬」

を意味する言葉です。ドイツ語のreitenは動詞で、こちらは「馬に乗る」という意味であり、言葉は違えど、やはり意味するところは変わりません。ちなみに英語のknightは、「小姓、従僕」を意味する古英語cnihtを語源としており、これは、イングランドにはもともと騎士というシステムがなく、大陸からもたらされたため、例外的に語源が異なるのです。

では、馬が持つ意味とは何か。先に結論からいってしまうと、実は前近代での馬の所有者は「大変な実力者」を意味するのです。誰でも彼でも、馬を持つことはできません。いえ、仮に持つことはできたとしても、その先が非常にハードルが高いのです。さて、馬を持つことが示す意味とは何でしょうか？

大前提として、馬を保持できるのは富裕層に限られます。しかも、ちょっとした小金持ち程度では話にならないのです。なぜ馬の所有が富裕層に限定されるかというと、以下の3つがハードルとなるからです。

①馬そのものの値段が高額であること
②馬の維持に設備や人員がそれ相応に必要であること
③日常の時間の大半を、訓練などに費やさねばならないこと

①については想像しやすいと思います。加えていうなら、騎士が乗る馬は軍馬、すなわち

通常の馬とは異なります。とくに20kg以上の武装をした人間を乗せなければならないわけですから、体格や体力に優れた種類の馬でなければなりません（ということは、今日の競馬のように、必ずしも速さが求められるわけではありません）。ただし中世後期になると、品種改良が進み馬の価格はいくぶん安価になります。

②について。馬は生き物ですから、飼葉などの餌や、さらに厩舎のような施設も必要です。しかも戦闘に参加するためには、最高のコンディションを常に維持しなければなりません。となると、飼育員や調馬師といった専門職を雇い入れる必要も出てきます。金銭的な負担が大きいことは明白ですね。

③について。以上2つが金銭で解決できるものである一方、こちらはお金だけではどうしようもありません。馬に乗るためには継続的な訓練が必要です。さらに領主は、その馬に乗って戦わねばならないのです。となると、日頃から乗馬と騎馬戦の訓練をしなければならないわけですから、農作業や商売などに従事していては、とても乗りこなせるようにはなりません。中世後期になると、農民や都市住民も武装して戦うようになりますが、その大半が歩兵でした。庶民階級などでは、時間的な余裕がどうしても確保できないからです（このあたりの議論は、須田武郎『騎士団』を参照）。

さて、ここまで私は何の気なしに「騎士＝領主」と言い続けてきました。読者のみなさんの中には、これを疑問に思った方も少なくないと思います。しかし、馬を持つ意味を見てきてわかるように、馬に乗って戦うのは領主のような支配階層に、どうしても限定されてしまうのです。

中世ヨーロッパでは、ほぼすべての領主層が騎馬戦士として戦っていました。したがって「騎士」は、必然的に「領主」を指すことになるのです。騎士とは騎馬戦士、それゆえ彼らは何かしらの領地を持つ領主なのです。高校の世界史では、騎士は下位の貴族層を指す言葉として扱われますが、実際は領主一般を指す言葉といっても過言ではないでしょう。

ヨーロッパ文学に見る馬

最後に、このキークエスチョンでこの節を閉じることにしましょう。まさかの英語の問題です。

問9．次の文は、ある劇において、戦場で馬を失った国王が放つ台詞である。情景に合わせて訳すとどうなるか？

A Horse! A Horse! My kingdom for a Horse!

まずはこの台詞の背景から。これはイングランドの劇作家シェイクスピア（1564？

〜1616）の史劇『リチャード3世』における主人公、国王リチャード3世の台詞です。リチャード3世は自らの進退をかけた決戦であるボズワースの戦いにおいて、戦場で乗っていた馬を倒されてしまい、この台詞を放つのです。というわけで、これらを踏まえて訳すと、

正解9．「馬を！　馬を1頭寄越せ！　その馬と引き換えに国のひとつでもくれてやる！」

という感じになります。これはリチャード3世の命運を暗示しています。なんといっても、この直後の場面で戦死しますからね。国王であっても騎士、すなわち馬に乗って戦う必要があります。戦場で馬を失った王はもう支配者ではない、だから王座から転げ落ちるのは当然の成り行き、ということです。シェイクスピアの巧みな言葉選びと、ヨーロッパの文化的背景が窺《うかが》える名文といえるでしょう。

2

騎士の戦術
——馬具が決定づけた「衝突撃」

農耕民、馬に乗る！

さて、ここまで馬と騎士の密接な関係について述べてきましたが、それでもなお、まだ考察すべき問題があります。それが馬具の存在です。まずは馬具一式について見ていきましょう（図28）。馬具とはいうまでもないことですが、人間が馬を乗りこなすのに必要な道具のことです。

まずは鞍《くら》。これは馬の背に乗せる座席（シート）のようなものですね。騎乗者の座る姿勢を安定させるものです。

次に手綱《たづな》。馬の進行方向や停止を騎乗者が指示す

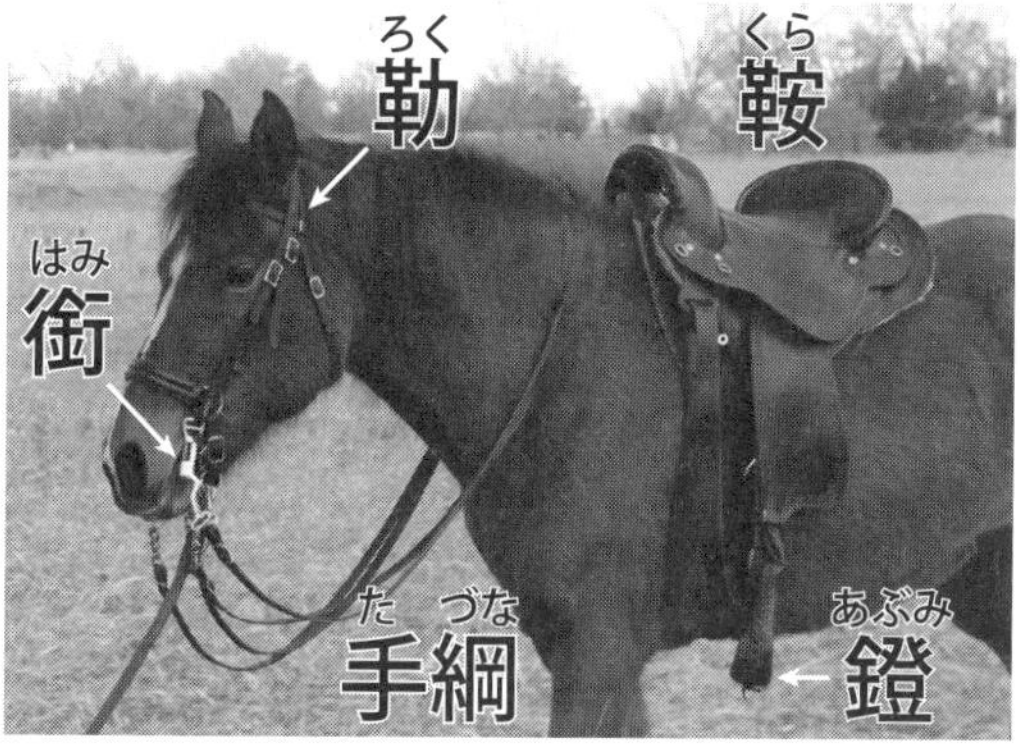

図28　馬具の一式

るためのもので、馬の口に噛ませた銜《はみ》につながっています。馬は手綱の刺激を、銜を通じて口から受け取り、騎乗者の指示を理解します。この手綱や銜など馬の頭部に巻き付ける馬具は「勒《ろく》」や「頭絡《とうらく》」などと総称されます。

そして最後に「鐙《あぶみ》」。鞍から下げられた革ひもでつなげられており、騎乗者の足を掛けるものです。これらの馬具は、古代から馬を乗りこなしていた騎馬民族によって発明されたものです。しかし……さて、ここでキークエスチョンを！

問10．馬具のなかで騎馬民族に起源を持たないものは何か。

実は先ほど挙げた馬具のうち、騎馬民族に由来しない、すなわち「仲間外れ」の馬具があります。正解は、「鐙」です。この鐙という馬具は、農耕民が発明した道具であるという、決定的な違いがあるのです。この鐙の使用と普及は、中世ヨーロッパの軍事史の分野では、とりわけ議論を呼ぶものなのです。

鐙の歴史——乗馬技術の試行錯誤

では、鐙の歴史から見ていきましょう。

鐙が歴史上初めて登場するのは中国です。中国では三国時代（220～280）から見られますが、このときのものは、騎手が馬に乗る際に片足を掛けるという乗馬用の補助具で、鞍の片側にだけ取り付けられていました。しかし西晋時代（265～316）には早くも現在と同様の、騎乗の際の補助具として一対のものへと変化し、華北を中心に、周辺民族へも瞬く間に普及します。

五胡十六国時代（304～439）の初期から、北方民族の間では鉄騎と呼ばれた重装騎兵が主力となっていたことも手伝い、重装備の騎手を支える馬具として鐙の普及が加速します。ここで注目すべき点は、鐙は農耕民よりもたらされたことです。これは言い換えると、生粋の騎馬民族は、必ずしも鐙を使用するとは限らないともいえます。これについてはまた後ほど！

この鐙が西ヨーロッパにまで伝来します。その時期についてはいまだに議論が続いていますが、最近の研究者たちは、鐙は7世紀にはすでに西ヨーロッパに到来したと見なしており、西ヨーロッパ全体に普及したのは10世紀であったという見解が有力です。

この10世紀の鐙の普及に一役買ったのが、東方より来襲したウラル系騎馬遊牧民のマジャール人でした（第二次民族大移動でヨーロッパにやってきた民族のひとつでしたね）。マジャール人はヨーロッパ各地で略奪を繰り返していましたが、955年のレヒフェルトの戦いで東フランク（ドイツ）軍に敗北したことで、それ以上の西進を断念します。これによりマジャール人は定住を余儀なくされ、中央ヨーロッパでハンガリー王国を建国することになります。

マジャール人は鋳造《ちゅうぞう》による金属製の鐙を使用しており、彼らの鐙は11世紀以降の中世ヨーロッパで使用された鐙と、構造上の共通点が非常に多いのです。

この鐙の普及が、中世ヨーロッパの騎士の戦闘スタイルを決定づけます。それが、「騎馬衝突撃《しょうとつげき》（shock charge）」と呼ばれるもので、長さ3mほどの長大な馬上槍（lance）を小脇に抱えて固定し、敵をめがけて突っ込むというものです。戦法そのものは単純ですが、その威力は相当なものです。歴史家のウィリアム・H・マクニールは、その著書においてこのように記述しています。

……フランク人（※注：ここでは西ヨーロッパ人のこと）〔中略〕はよろいに身を固め、片手に盾を、片手に槍をしっかりと抱え、馬に乗って敵に突撃するという戦闘形式を好んだ。……

この戦術は、〔中略〕突撃する騎士の槍の先端に圧倒的な力を集中することができるのがその効果であった。駆けている馬と騎手のエネルギーが、槍の先端にこめられるからである。このような集中的な力に対しては、これまでのどんな軍陣も対抗しえなかった。〔中略〕ちょうど一九四〇年代の重戦車のように、数十人の武装した騎士たちは、戦闘の流れを変えることができた。

（W・H・マクニール著、清水廣一郎訳『ヴェネツィア』講談社学術文庫、2013年、P.22）

ここでマクニールが重装備の騎士を戦車に例えているのはあながち突飛なことではありません。なんとなれば、今日の戦車部隊は、その運用方法が騎兵の延長にあるからです。ともあれ、この西ヨーロッパ騎士による衝突撃は、11世紀のノルマン人の南イタリア遠征（1024〜1092）や第一回十字軍（1096〜1099）の勝利に大きく貢献し、彼らの勇猛さを地中海中に轟かせることになるのです。長大な馬上槍を抱える重装備の騎士を安定させることは、鐙なくしてあり得ないのです。

騎士は戦場の主役ではない？

……ところで、中世ヨーロッパの戦場で主役と思われがちな騎士ですが、実際の戦場ではその人数は2割にも満たない場合が大半です。この2割という数字は、騎士という身分を持たない「騎兵（馬に乗った兵や戦士）」すべてを合わせた数字であり、純粋な騎士の人数となると、より少なくなることでしょう。

中世ヨーロッパでは、戦場の真の主役はあくまでも「歩兵」たちでした。騎士より身分や装備が劣り、ともすれば支配階層である彼らから侮蔑されながらも、歩兵の重要性が失われることはなく、むしろ最終的にヨーロッパの戦闘は歩兵中心のスタイルが確立されていきます。また当の騎士たちにしても、常に馬に乗って戦っていたとは限りません。例えば攻城戦のように騎馬戦闘に向かない戦いでは、騎士たちはしばしば下馬して歩兵として戦いました。騎士の戦闘スタイルは非常に柔軟な側面も持ち合わせていたのです。

そもそもヨーロッパは、古代より歩兵文明というべき軍事的伝統が根付いており、ヨーロッパ人は「騎馬民族ではないにもかかわらず、創意工夫の末に騎馬戦法を編み出した」といえるでしょう。それでも騎士たちが馬に乗り続けたのは、ひとつは彼ら自身のステータスシンボルであったからです。もうひとつは、騎兵戦力というのは、当時の戦場で歩兵ではとても及ばない機動力という長所がある以上、やはり効率的な兵科に変わりないからです。

とはいえ、ヨーロッパの騎士は、13世紀にある強大な勢力と激突します。この勢力は、ヨーロッパとは対照的に騎馬戦力、というより、馬という動物を熟知した戦力をもってユーラシア制覇を成し遂げます。それが、モンゴル帝国（大モンゴル国）なのです。

問10．馬具のなかで、騎馬民族に起源を持たないものは何か。

正解10．鐙《あぶみ》。

3 騎馬遊牧民と馬
――交易と戦闘のエキスパートたち

遊牧民ってどんな民族？

ではここからは、ヨーロッパと同時代に、同じく騎兵戦力に注力したモンゴルについて見ていきましょう。といっても、モンゴル人をはじめとする騎馬遊牧民は、当然のごとくヨーロッパ人と比べてはるかに騎馬の扱いに長けています。

まずはモンゴル人というより、騎馬遊牧民の特徴から見ていきましょう。騎馬遊牧民は遊牧民族の代表格といえる存在です。そもそも世界には、様々な動物を飼育する「遊牧民」が存在しており、彼らのなかでもとりわけ馬の重要度が高い民族を「騎馬遊牧民」と称します。ではここで、またもやキークエスチョンを！

問11．遊牧民の主産業は何か。

さて今回はどうでしょうか。「遊牧民なんだから牧畜でしょ」と考えたあなた、半分正解ですが実はそうでもないのです。

そもそも遊牧民が暮らす環境というのは、概して農耕に適さない地域が多いのです。つまり農耕民の定住社会とは異なり、自給自足が困難であり、このため遊牧民は、自分たちだけでは社会を拡充させることはおろか、生活水準を維持することすら難しいのです。とくに頭を悩ませるのが、穀物の確保です。そのため遊牧民が主産業とするのは、商業活動なのです。というわけで、正解は「商業」あるいは「交易活動」でした。

今回の主役であるユーラシアの騎馬遊牧民も例外ではありません。彼らは古来、周辺民族との交易活動に従事しており、その活動圏は非常に広範囲に及びます。おおよそ北緯50度から55度の高緯度帯は、気候が寒冷（北海道・稚内市の最北部で北緯45度）であり、また降水量が少なく、農業には向いていません。

一方で、この一帯には広大な草原地帯（ステップ）が、東西に広がっています。この大草原地帯に、様々な騎馬遊牧民が割拠するわけですが、ユーラシアに広がる草原地帯は、東西を結ぶ交易路としても機能します。このため、この草原地帯は「草原の道」（ステップロード）と呼ばれ、「オアシスの道」（シルクロード）や「海の道」（マリンロード）と並んで、古来、ユーラシアの東西交流の大動脈として重要な役割を担ってきたのです。

問11．遊牧民の主産業は何か。
正解11．「商業」または「交易活動」である。

略奪——商業民族の非常手段

騎馬遊牧民の商業民族としての側面を示す好例は、中国の万里の長城です。万里の長城はいうまでもなく、北方の騎馬遊牧民の侵攻を防ぐために、秦の始皇帝（位：前221〜前210）が建設したのを端緒に、中国の歴代王朝が改築を繰り返した長大な城壁です。

しかし、近年の発掘調査では、16世紀の明代に大改修を受けた今日の万里の長城では、むしろ国内の住民の逃亡を防ぐ機能が強かったそうです。より自由な商売を求めて、北方の騎馬民族の庇護を受ける中国人は、古代から少なくなかったのです。また、戦闘のない平時には、万里の長城の周辺に交易所が開かれていました。万里の長城は戦闘や交易の双方の面からも、遊牧民と農耕民の接点であり続けたのです。

ところで、商業活動は常に円滑に進むとは限りません。こちらに売るものがなかったり、あるいは相手が買ってくれなかったり……。こうなると遊牧民にとっては死活問題です。とりわけ穀物などの生活必需品が手に入らなくなると困ります。

このようなとき、遊牧民は非常手段に出ます。それが、「略奪」です。つまり、商売相手から力ずくで物資を奪う、ということですね。だから騎馬遊牧民は、しばしば周辺民族への襲撃を繰り返すのです。その襲撃はまさに電光石火、神出鬼没。武勇に優れた遊牧民の襲撃を、農耕民たちは常に恐れていたのです。

ちなみに、商業民族と略奪の関係に関しては、何も騎馬遊牧民に限った話ではありません。商業民族の舞台が海であれば、彼らは場合によっては「海賊」となります。第Ⅰ部の中世の章で紹介した、9世紀のノルマン人、別名ヴァイキングはその好例でしたね。実際に彼らはヨーロッパ各地で略奪に従事する一方、地中海や東ヨーロッパの様々な勢力との交易ルートを積極的に開拓していきました。また14〜16世紀の中国沿岸を荒らしまわった海賊である「倭寇」も、その実態は沿岸に住む商人集団だったのです。海賊もまた、商業民族のもうひとつの側面というわけです。

騎馬戦力としての騎馬遊牧民

さて話を戻すと、商業活動以上に騎馬遊牧民の名を知らしめたのが、彼らの戦闘能力です。馬を知り尽くしている彼らは、馬の長所を十二分に引き出す、精強な軍事力でも古くから知られていました。では、その騎馬遊牧民の戦闘について説明しましょう。そもそも馬は走ることに特化した動物です。そのため馬の最大の武器となるのがその機動力です。馬の機動力を利用した戦闘スタイルには、大きく分けて2種類あります。

ひとつはヨーロッパの騎士のように、槍や剣などで接近戦を行うものです。敵と直接、白兵戦を繰り広げるため、重装備となる場合が多く、古代のイランではアケメネス朝の時期に、騎乗者が鎧を着て重装騎兵となりました。さらにパルティア王国（前247頃〜後226）とその後継のササン朝ペルシア（224〜651）では、馬にも鎧を着せたカタフラクト（cataphract）と呼ばれる騎兵が猛威を振るいました。カタフラクトは、のちにローマ帝国やビザンツ帝国でも主力兵科として採用され、中世ヨーロッパの騎士戦術に少なからぬ影響を与えることになります。

もうひとつは、弓兵を乗せた弓騎兵《きゅうきへい》です。一般に、弓兵をはじめとする投射兵は、標的との接近を極力避ける必要があります。その点、馬の機動力は常に敵と一定の距離を保つのに最適であり、また標的を有効射程圏内におびき寄せることもできるなど、弓兵にとっては理想的といえるでしょう。騎馬遊牧民の多くは、このように馬上で弓を放つ「騎射《きしゃ》」に優れた弓騎兵なのです。この騎射という技術は非常に高度なものです。というのも高速で移動して揺れる馬上から、矢を標的に向かって正確に、しかもそれを断続的に放たねばなりません。このため幼少期から日常的に馬に乗る騎馬遊牧民のみが、戦場での運用を可能としたのです。

騎射の代表例が、やはり古代イランの弓騎兵が用いたパルティアン・ショットです(図29)。この射撃法は、イランに建国されたパルティア王国の弓騎兵に用いられたものであり、弓騎

図29　パルティアン・ショットのイメージ

兵は標的が接近するや退却し、このときに騎乗者は後ろを振り返りながら射撃を浴びせるのです。

さらに騎乗した弓兵は、機動力を犠牲にしないために、防具は軽装ないし皆無であることすらあります。これは4〜5世紀のフン人や13世紀のモンゴルの弓騎兵などでも同様です。パルティアやササン朝、モンゴルなどの騎馬遊牧民の騎兵団は、いずれも共通して弓騎兵を中核とした軽装騎兵が、数のうえでは圧倒的に多かったといいます。これは狩猟などで日常的に騎乗のまま弓を使う機会に恵まれているため、特別な訓練が不要なためでもあります。部族民の全員が、即座に優秀な軍事力となりうるわけですね。

またここで注目すべきなのが、これら騎馬遊牧民たちは鐙《あぶみ》の必要性がほとんどなかったとい

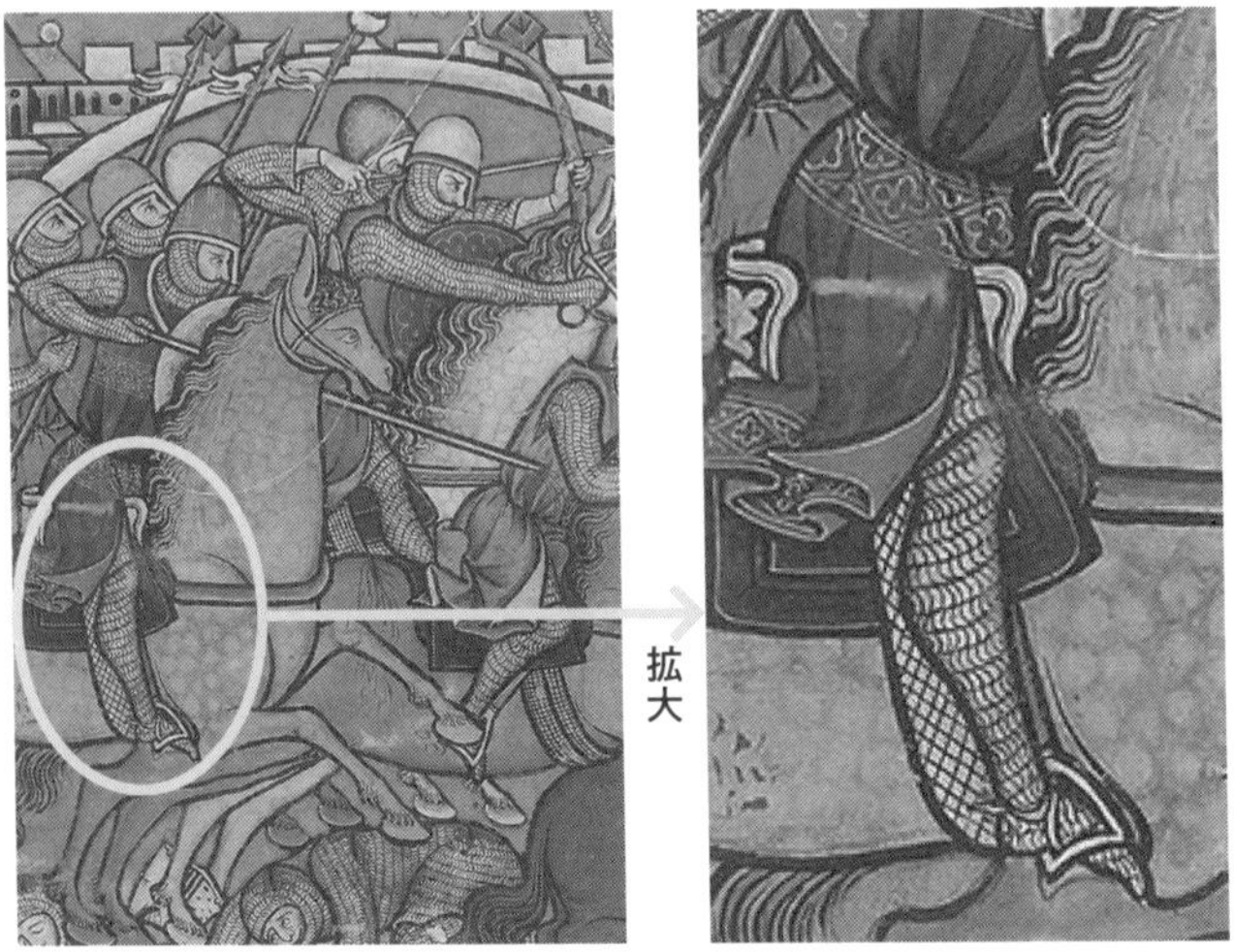

図30　鐙の取り付け位置（ヨーロッパの騎士）

13世紀の『マシェジョースキ聖書（モルガン聖書）』の挿絵。鐙の取り付け位置は低く、真っ直ぐに足を下した姿勢で騎乗していることがわかる。

うことです。実際に彼らは、鐙の出現する１０００年以上も前から、馬を乗りこなしていたわけです。とはいえ、騎馬遊牧民にも次第に鐙の使用が広がっていくのですが、彼らの使用法は農耕民とは一風変わったものでした。

ヨーロッパ式の鐙の特徴はというと、鞍《くら》からかなり下のほうにまで吊り下げて取り付けられていることです（図30）。騎乗者が完全に鞍に腰を下ろし、足を踵まで真っ直ぐに下ろすようになっており、これにより騎馬の速度はやや犠牲となる半面、騎乗者の姿勢はかなり安定します。

対して、騎馬遊牧民の鐙は比較的高い位置、すなわち膝《ひざ》を曲げた格好になるよう取り付けられており、現代の競

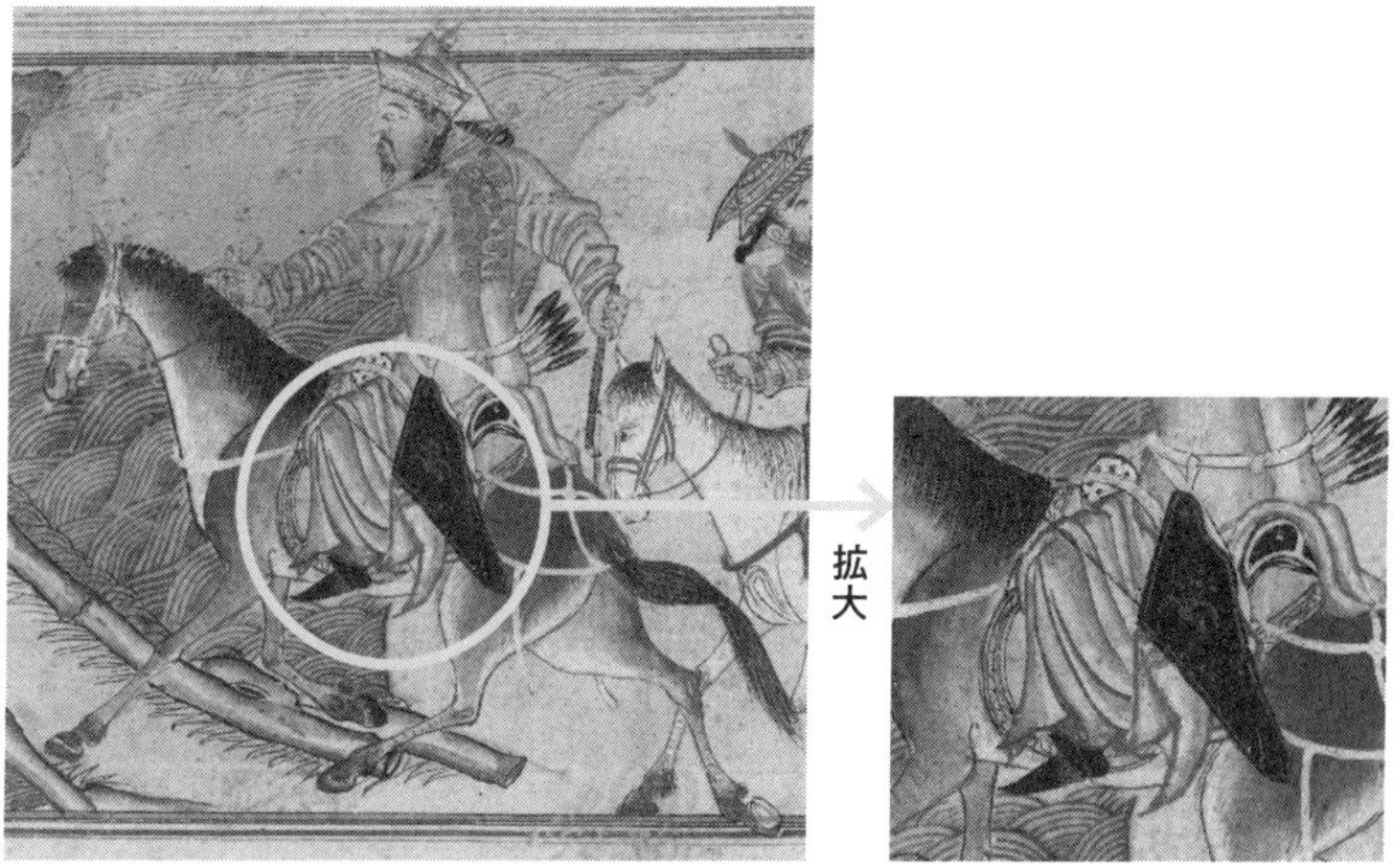

図31　鐙の取り付け位置（騎馬放牧民）

ラシードゥッディーンによる14世紀の歴史書『集史』に描かれた騎馬兵。モンゴル騎兵がモデルであり、鐙の位置は高く、膝を曲げた姿勢で騎乗していることがわかる。

走馬と同じく、騎手の腰が浮きやすくなっています(図31)。こうすることで、馬の機動力が犠牲にならないのです。この点からも、ヨーロッパと騎馬遊牧民の騎馬戦闘のスタイルの違いが、改めてはっきりとわかりますね。重装備の騎兵が突撃して接近戦に臨むヨーロッパ、対して馬の速度を最大限に活かした機動戦で勝負をする騎馬遊牧民。騎兵戦闘を制する者はどちらか。1241年、ついにこの両者が激突します。

4 1241年、モヒの戦い——ヨーロッパと騎馬遊牧民、決戦の舞台

両雄、対峙す

1206年。騎馬民族史上、いや、世界史上にも類を見ない大帝国の創始者が登場します。この年、モンゴル高原を流れるオノン川の河畔で、モンゴル諸部族による部族集会（クリルタイ）が開かれました。この集会で、全モンゴル部族の統治者に推戴《すいたい》された人物がいます。彼の名はテムジン。この集会で「カン（ハン）」の称号を授かり、以後は「チンギス＝カン（チンギス＝ハン）」として知られます。

モンゴル部族を統一したチンギス＝カンは、さっそく大規模な遠征事業に取り掛かります。一代でモンゴル高原を中心に、華北（中国の北部）、トルキスタン（中央アジア）、ロシア東部にいたる広大な領域を支配し、その征服事業は子孫たちにも引き継がれます。13世紀のモンゴル軍は、高度に規律が行き届き、統率され、なおかつ攻城戦でも猛威を振るうという、まさに無敵ともいうべき軍団です。また、モンゴル軍は情報収集や兵站《へいたん》の技術にも優れ、征

服目標の情勢に精通し、補給線を常に絶やさない行軍により、短期間のうちにユーラシア大陸を席巻していったのです。

そしてモンゴル軍の進撃は、ついにヨーロッパにまで到来します。1223年に、チンギス＝カンが派遣した武将、ジェベとスブタイ率いる軍団が、カルカ川の戦いでロシア諸侯とクマン人（トルコ系の遊牧民）の連合軍に大勝。続くオゴデイ＝カアンの治世には、オゴデイの甥（チンギスの孫にあたります）であるバトゥを総司令官に、再度の西方遠征が開始されます（「バトゥの征西」）。この遠征でロシア諸侯国のほぼすべてを支配下に入れ、ついにモンゴル軍はヨーロッパの地に足を踏み入れます。

ヨーロッパ諸国は「モンゴル軍迫る」の報に、蜂の巣をつついたかのようなパニックに見舞われ、モンゴル軍との最前線に位置する東ヨーロッパ諸国では、戦闘の準備が急ピッチで進められます。

激突

そして1241年。この年にモンゴル軍と対峙したのは、ハンガリー王国でした。ハンガリーは国王ベーラ4世の指揮下で、バトゥ率いるモンゴルの遠征軍を迎え撃つことを決意します。ハンガリーは、騎士の盛期である当時のヨーロッパにおいて、とりわけ精強との評価が高かった騎馬軍団を擁していました。一方のモンゴル軍も、バトゥやスブタイといった優秀な指揮官に率いられ、次なる目標を求めて進軍を続けます。ベーラ4世率いるハンガリー軍は約8万人（これには騎士修道会などの増援も含まれます）。対するバトゥ率いるモンゴル軍は約7万人の軍勢です。

まずは前哨戦。

バトゥ率いるモンゴル軍は、まずハンガリーの主要都市ペスト（のちに西のブダと合併して、現在の首都ブダペストとなります）の近くまで進軍し、ベーラ4世率いるハンガリー軍の主力をおびき寄せます。モンゴル軍は見せかけの撤退を繰り返し、ハンガリー軍を引き付けます。

一方でモンゴルは、ハンガリー軍に悟られないように斥候《せっこう》を放ち、素早く偵察活動を展開します。ハンガリー軍を迎え撃つ戦場に適した土地を探すためです。そうして選ばれたのが、ハンガリー中部のモヒ平原を流れる、ティサ川とシャイオ川の合流地点でした。この合流地点には一本の橋が架かっており、この橋はこの辺りで唯一となる渡河地点でした。モンゴル軍は橋を渡った先に広がる森に潜伏します（図32、①）。

遅れてやってきたハンガリー軍は（②）、橋の手前に陣地を設置します。そしてベーラ4世は、部隊の一部を橋のたもとに待機させ、防御陣を構えるよう命じます。ベーラ4世は、橋を渡ろうとするモンゴル軍を、この防御陣で迎え撃とうという作戦です（③）。

ほどなくして、バトゥも丘の高台から敵軍を偵察し、ハンガリー軍の作戦を見抜きます。そのうえで、モンゴル軍はすぐには攻撃を加えず、夜を待ってようやく動き出します。バトゥはスブタイに、3万の別働隊を率いて戦場を大きく迂回するよう命じます（④）。そして、すかさずバトゥは残る4万の本隊に、橋の終点に待機するハンガリー軍への攻撃を指示します（⑤）。ここに、モヒの戦い（シャイオ川の戦い）の火蓋が切って落とされたのです。

いよいよ戦闘開始です。

モンゴルの弓騎兵は射撃を開始しますが、狭い橋の上で少数の兵しか立たせることができず、ハンガリーの防御陣はこれを耐え抜きます。これにより、背後のハンガリー軍の本隊が駆けつける十分な時間を稼ぎます（図33、⑥）。

しかし、ちょうどこのタイミングを見計らって、スブタイ率いるモンゴルの別働隊は、シャイオ川に即席の橋を架けながら、渡河を開始します（⑦）。ハンガリーの本隊が駆けつけると、モンゴル軍は今度は7台の投石器（カタパルト）を投入し、火がついた石弾を雨のようにハンガリー軍に降らせます。これによりハンガリー軍は後退し、ついにモンゴル軍の本隊は橋の渡渉《としょう》に成功します（⑧）。

橋を渡ったモンゴル軍の本隊は、バトゥの命令でシャイオ川と橋を背後に展開します。川を背後にした開けた地に、ハンガリー軍をおびき寄せることで、スブタイ率いる別働隊に攻撃をしやすくするためです。迅速な展開を終えたバトゥは、一転して自軍に反撃を命じます。軽快なモンゴルの弓騎兵は、ハンガリーの騎士を含めた重装騎兵に襲いかかり、ハンガリー騎兵は反撃を試みますが、重装備のためモンゴル騎兵に追いつけず、次々と討ち取られます(⑨)。

ここでスブタイ率いる別働隊が到着し、ハンガリー軍を背後から襲います。バトゥの部隊との戦闘に気を取られていたハンガリー軍は、背後からの攻撃に浮足立ち、ついにはモンゴル軍に完全に包囲されます(⑩)。不利を悟ったベーラ4世とハンガリーの残存部隊は、最初の自陣地に逃げ込んだものの、結局はモンゴル軍の包囲と猛攻を受けて、ほうほうの体《てい》で撤退を余儀なくされます。

こうしてモヒの戦いは、モンゴルの圧勝に終わりました。この戦いののちモンゴル軍は、ハンガリーのほぼ全土を占領し、国王ベーラ4世は何とかアドリア海の孤島に落ち延びますが、彼の軍勢は壊滅状態に陥りました。しかしまもなくオゴデイ＝カアンの訃報を受け、モンゴル軍はハンガリーから撤退していきます。

モヒの戦いの勝敗を分けた要因は、ハンガリーがヨーロッパ騎士の常に倣って接近戦を仕掛けようとこだわったのに対し、モンゴル軍は機動力という馬の長所を存分に発揮できるよ

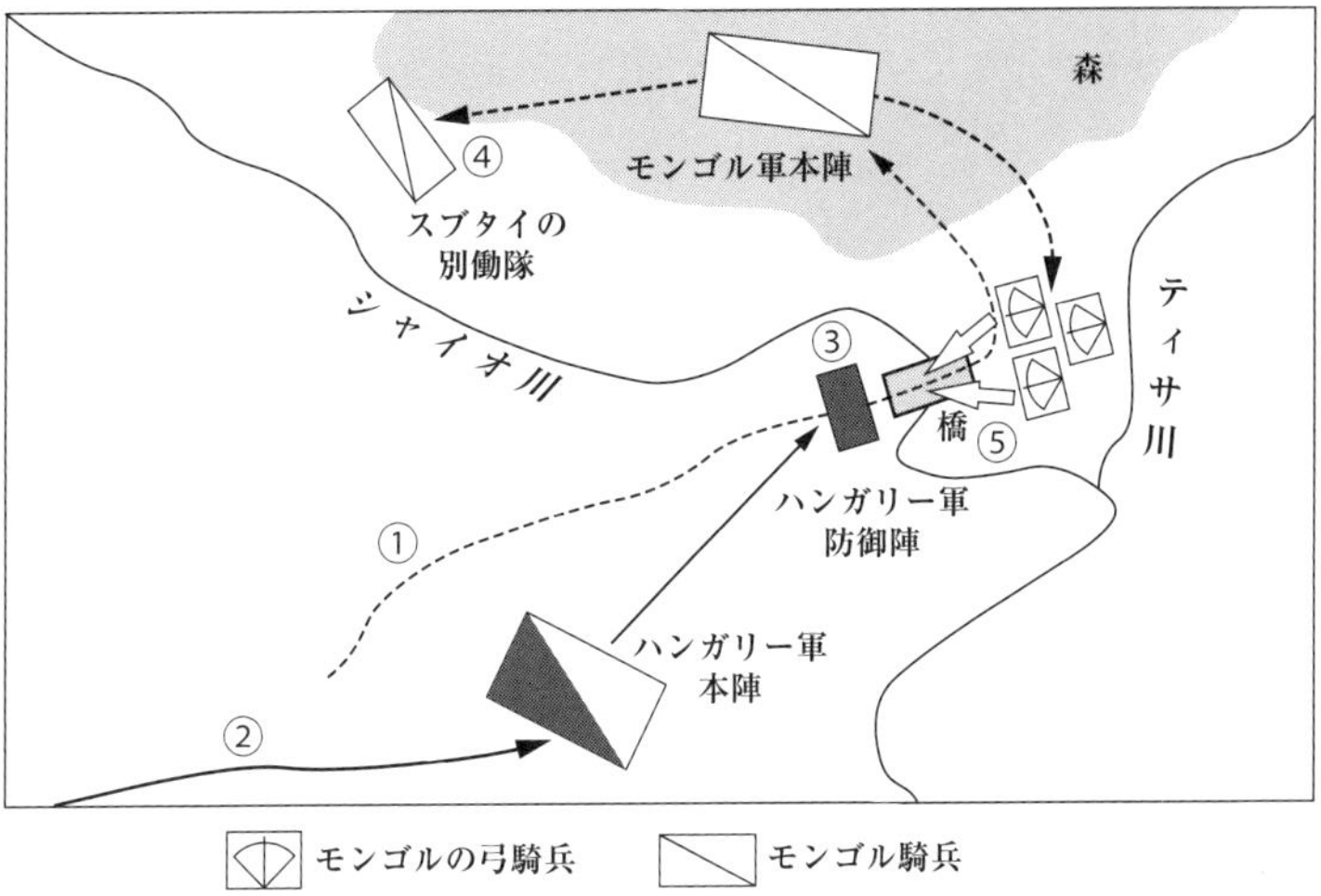

図32　モヒの戦い１

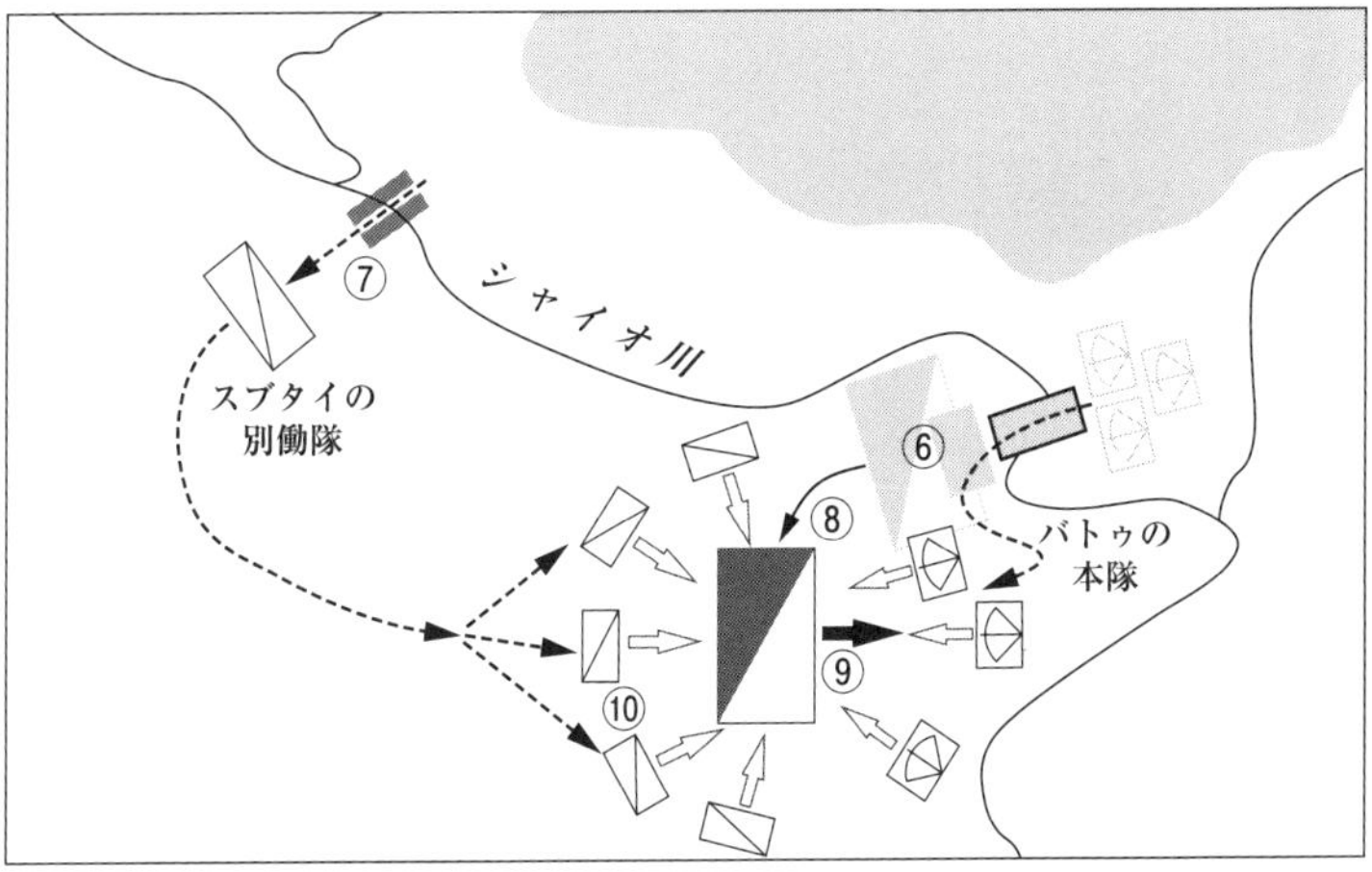

図33　モヒの戦い２
（いずれもCarey, Warfare in the Medieval World, 2006をもとに作成）

う、戦場での主導権を握ったことにあります。このハンガリー（あるいはヨーロッパ）のモンゴルに対する敗北は、歩兵文明であるヨーロッパの騎馬戦術の限界を象徴しているかのようです。

ヨーロッパは騎兵戦闘の技術を改良し続け、そのひとつの到達点となったのが、騎士の衝突撃戦法でした。しかし、ヨーロッパの騎兵戦闘は、純粋な騎馬民族であるモンゴルには歯が立ちませんでした。中世は、「馬を制する者が世界を制す」時代だったといえるかもしれません。

加えて一連の征服活動ののち、モンゴルは商業民族としての本領を発揮します。モンゴルがユーラシアを制覇し、また商業活動を保護・奨励したことで、ユーラシアを結ぶ巨大な交易網が現われます。モンゴルの征服をかろうじて免れたヨーロッパも、やがてこの交易網に取り込まれ、ヨーロッパにおいても遠隔地同士を結ぶ商業が活性化することになります。

モンゴルによって張り巡らされたネットワークは、ユーラシア東西の人・モノ・カネ、さらには文化の交流を活性化させました。その主役もまた、広大な交通網を介した馬でした。経済の面でも、モンゴルは馬で世界を制したわけです。

とはいえ、この巨大帝国もまた、最終的には瓦解する運命にありました。巨大なモンゴル帝国には、バトゥや彼の従兄弟にあたるフレグ（フラグ）、クビライ（フビライ）といった大カンの一族たちによって、ウルスと呼ばれる地方政権が各地に成立します。大元ウルス(元)、チャガタイ＝ウルス（チャガタイ＝ハン国）、バトゥの建国したジョチ＝ウルス（キプチャク＝ハン国）、フレグ＝ウルス（イル＝ハン国）といった4つのウルスは、次第にそれぞれが自立性を強め、さらにこれらのウルスにもまた数々の地方政権が割拠し、モンゴル帝国は散り散りになっていくのです。

世界帝国の集大成としてのモンゴル帝国は同時に、世界帝国という政治的な広域支配システムの限界を示す事例でもありました。では、軍事、政治でなければ、次に世界を制するものは何か？　そうしたなかで、ヨーロッパが大航海時代を迎え、今度は経済、すなわち「近代世界システム」という新しいシステムが世界を取り込んでいくのです。

第Ⅲ部
世界史を再発見する歴史の視点
――より深い理解へ導く見方

第3章
辺境から始まった近現代

1 近代はスイスより始まる？

第3章では近代という時代を掘り下げていきますが、ここでもまたちょっと変わった視点から。その出発点となるのが、スイスです。スイスといえば、現在では永世中立国として有名ですね。高校の世界史では、中世から近世にかけて、このスイスという地域は意外に重要な役割を果たします。

しかしそれ以上に、このスイスという地域は、近代さらには現代世界の形成に大きく貢献することになるのです。見方によっては、「近代はスイスから始まった」と見なすこともできるでしょう。ここでは近世のスイスを中心に、近世・近代から現代に至る歴史を捉えなおしてみましょう。

スイスという辺境

そもそも本章の舞台となるスイスはどういった地域なのか、ここではその歴史をまずは紐

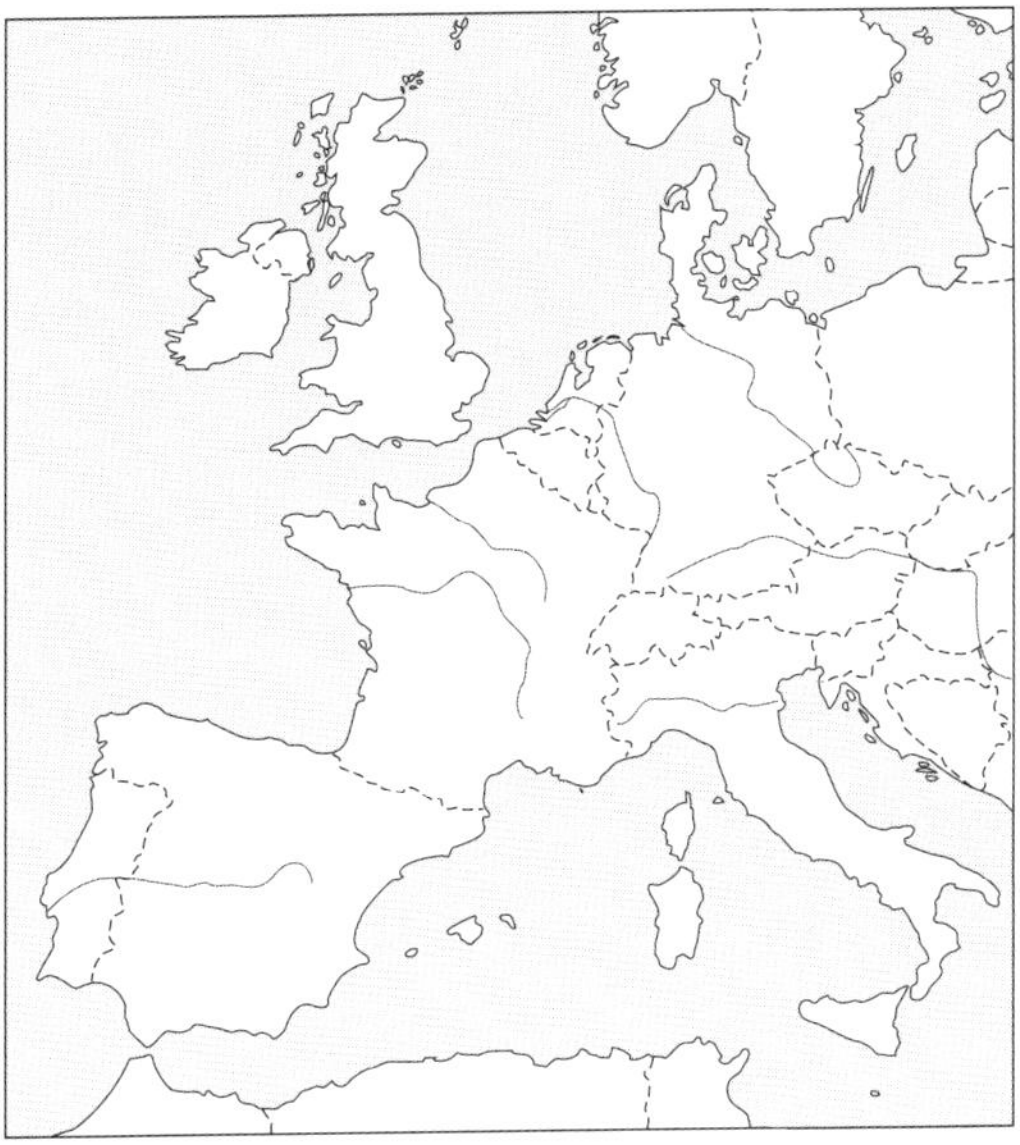
図34　スイスはどこに位置する？

解いていきます。では、最初のキークエスチョンが、こちらです！

問12．上の図34において、スイスはどこに位置するか。

案外、スイスの位置を知らなかった、意識していなかったという方も少なくないかと思います。では正解です（図35）。みなさんは正しく位置を把握できていたでしょうか？

スイスはヨーロッパにおける辺境に位置します。しかし、現代の地図でスイスの位置を見ると、スイスはヨーロッパのちょうど中心、北はドイツ、西はフランス、南はイタリア、東はオーストリアに囲まれた内陸国

図35　スイスの位置

です。

これのどこが辺境なのかと思うかもしれませんが、スイスは国土の約半分が高原で、残りの半分は山地が占めています。この山地はアルプス山脈の北麓からなり、「スイスアルプス」と通称される一帯です。スイスは山地に位置する国家なのです。そのため交通の便が相対的に悪く、ローマの支配を受けたのち、中世の前期までは外部との接触が比較的少ない地域でした。このため、スイスは長らくヨーロッパの辺境であり続けたのです。

地理的に辺境の場所は、外部との交流が少なくなる一方、内部の伝統が保持されやすいということもいえます。スイス一帯では、実際に古代より続くケルト人やゲルマン人の伝統が現代まで息づいています。その代表例が、直接民主政です。

スイスといえば、今日でも直接民主政が、一部でよく維持されていることが知られていますが、これは裏を返せば、古代ゲルマン人の伝統の延長ともいえます。古代のゲルマン人は、長老の下で武装した市民（戦士）たちが、「民会」と呼ばれる集会を開き、これが部族の決定機関となっていました（第Ⅱ部 第4章 近代とは？（P.200）でも触れましたね）。今日のスイスでは、地方におけるこのような地域集会は「ランツゲマインデ」と呼ばれますが、その性質は古代の民会とさほど変わらないといえます。

また、辺境の地スイスで保持されたもうひとつの伝統が、「市民皆兵制」です。これは読んで字のごとく、「市民が皆、兵となる」ものです。ここでいう市民とは、「参政権を得た住民」を意味します。古代のゲルマン人やギリシアのポリス（都市国家）では、民会に参加する（＝参政権を得る）には、部族や都市のために、自ら武装して戦わねばなりませんでした。スイスでは、都市や農村の住民が自ら武装して近隣諸国と戦ってきたのです（これは中世ヨーロッパの他地域の都市についても同様のことがいえます）。

現在でもスイスは、ヨーロッパでも数少ない徴兵制を維持している国であり、徴兵期間を終えた国民は自動的に予備役に組み込まれ、有事の際は国防への参加が要求されます。古代からの伝統が、この地には現在でも息づいているのです。

スイスの独立

こうした古代の伝統が息づく辺境のスイスが、歴史の日の目を浴びたのは12世紀のこと。12～13世紀にかけて、スイスやアルプス山脈を南北に通る峠が何本も開通したのです。それまではドイツからイタリアに向かおうとすると、どうしてもアルプスを迂回しなければなりませんでしたが、この峠の開通によって、移動時間が大幅に短縮されました。

この峠の開通により、スイスにはにわかに各地の商人や職人などが移住するようになり、経済的にも活況を呈します。これに目をつけたのが、当時のスイスの支配者で、この地に起源を持つハプスブルク家でした。ハプスブルク家は、13世紀を皮切りに神聖ローマ皇帝を何人も輩出し、のちにはヨーロッパ最大の名門と呼ばれるまでに至ります。

神聖ローマ帝国の皇帝になるには、ドイツとイタリアで（後者はできればローマで教皇の手によって）2回（あるいは3回）も戴冠式を挙げねばなりません。そのため歴代の皇帝や皇帝候補者らは、イタリア、とくにローマへの交通路の確保を目的に、イタリアに度重なる介入を続けたのです（世界史ではこれを「イタリア政策」と総称します）。ハプスブルク家はこのイタリアへの進出の足掛かりとして、スイスに開通した峠に注目します。

ハプスブルク家はスイスに対して支配を強めようとしましたが、結局この試みはスイスの住民たちの強い抵抗を招きます。スイスの住民からすれば、「今までは支配が緩かったくせに、今さら厳しくしようなんざ話が違う」ということですね。1291年、スイスの3つの邦（今日の州にあたります）、ウリ、シュヴィーツ、ウンターヴァルデンが永久同盟を結び、ハプスブルク家と戦うことを誓い合います。こうして、スイス盟約者団（教科書などではスイス誓約同盟、とも）が結成され、これが次第に加盟邦を増やしながら、今日のスイスという国家を形作ることになります。

スイスの主力は農民や市民が武装した民兵団であり、これがハプスブルク家に対し破竹の勢いで勝利を重ね、ついに1499年までには事実上の独立を果たします。これに飽き足らず、スイスはさらにアルプス交易路の独占を狙い、近隣諸勢力とも熾烈な抗争を繰り広げます。14～15世紀のスイスは、ヨーロッパでも指折りの軍事大国だったのです。

さて、ここでのポイントは、①スイスはヨーロッパの辺境にあり、②そのため直接民主政や市民皆兵制に代表される、古代からの伝統が息づいている、ということです。この辺境地帯に過ぎなかったスイスの風土が、近代や現代の歴史を大きく動かす改革や思想を育むことになるのです。それが、「資本主義と社会主義」です。

2　資本主義の拡大——カルヴァンと予定説

産業革命の前に……

第Ⅱ部で、近代は「産業革命（工業化）とナショナリズムの時代」と述べましたが、この産業革命が興るには、前提となる条件があります。それは、資本主義の形成です。資本主義は、「産業資本主義」、また高校の世界史では「市場経済」と、言い換えることもできます。資本主義または市場経済とは、「個人が自由に取引をすること」とここでは簡単に定義しておきましょう。この資本主義が定着するきっかけを作ったのが、近代世界システムでしたね。しかし近世初期、1500年頃のヨーロッパでは、資本主義はイングランドやネーデルラント（今日のベネルクス3国）など限られた地域でしか見られない現象に過ぎませんでした。

ここまでの話を聞いて、そもそも「個人が自由に取引をすること」がそんなに困難だったの？　と疑問に思う方もいるでしょう。結論からいうと、困難というのはいい過ぎですが、それでもこうした自由な経済活動は、ある種制限されていたとはいえるでしょう。その理由がキリスト教です。

1500年頃のヨーロッパは、近世の始まりであると同時に中世の終わりでもあります。中世といえば、「キリスト教と地方分権の時代」でしたね。中世ヨーロッパではキリスト教、とりわけローマ＝カトリック教会の影響力が絶大だったのです。確かに1500年にもなると、かつての教会の権威はだいぶ削がれたといえますが、それでもなおその影響力は並々ならぬものがありました。お金を稼ぐことについて、ローマ＝カトリックの解釈は、「必要以上の金儲けは神の意志に反する」というものでした。したがって、中世後期から始まりつつあった資本主義は、教会の教えのもと、なかなか広まらずにいました。資本家（工場の社長）は儲けたいという本音に対し、儲けることにある種の後ろめたさを感じていたのかもしれません。

しかし1541年、ある人物をきっかけに、資本主義が西ヨーロッパ各地に急速に広まり、かつ定着していくことになります。その人物とは、ジャン＝カルヴァンという神学者でした。カルヴァンは、現在のスイスのジュネーヴで宗教改革を断行します。カルヴァンの宗教改革が、資本主義の拡大に多大な貢献をしたのです。

宗教改革とは??

それではカルヴァンの改革および彼の思想を見ていきますが、その前に、そもそも宗教改革とは何か、その本質をしっかりと捉えるところから始めます。いわゆる宗教改革の走りとなったのが、ドイツの神学者であったマルティン＝ルターです。ルターは勤務先のヴィッテンベルク大学近くの教会の扉に、「カトリック教会、最近なんかおかしいんじゃないの?」といわんばかりの意見書を掲示しました。これを「九十五カ条の論題」といい、文字通り、カトリック教会への疑問（というより文句）を95個も（!）箇条書きにしたものです。

この論題で焦点となったのが贖宥状《しょくゆうじょう》（またの名を免罪符）。当時のカトリック教会のトップである教皇レオ10世は、サン＝ピエトロ大聖堂の改修費を賄うために、ドイツ（当時は神聖ローマ帝国）で贖宥状の販売をしていました。贖宥状は、お布施の一種だと考えると捉えやすいです。ところが、今回は単なるお布施にとどまらず、これを買えば様々な罪が赦《ゆる》されるとされたのです。この贖宥状による救済に、ルターは待ったをかけたわけですね。

さて、そもそもルターはなぜ贖宥状の販売に反対だったのでしょうか? 今回はこれをキークエスチョンにしましょう。

問13. ルターが贖宥状（免罪符）の販売に反対した理由は何か。簡潔に答えよ。

これには極めてシンプルな答えがあります。それは「聖書に書いてない」からです。実際、旧約・新約聖書には、「贖宥状で罪が赦される」とは書かれていません。聖書に書いていないのに、赦されるわけないじゃん！　おかしいやろ！　という具合ですね。

と同時に、自然とこんな疑問も出てきます。じゃあどうすれば罪が赦されるのか？　ルターはこう答えます。「人は信仰によってのみ義とされる」と。これは「神への信仰を重視しなさい」ということです。まさに「信ずるものは救われる」を地で行け、ということです。

というわけで、ルターの思想は、実はそれほど複雑ではありません。むしろその中核はいたってシンプルなのです。とはいえ信仰が大事といわれても、いったい何をどうすればよいのでしょう？　そこで彼は「聖書があるじゃないか」と唱えます。彼の主張をざっくり言い換えると、「教皇や教会がガーガーいうとるけど、そんなん聖書に書いてへんやん‼」という具合です。

だからこそルターは、聖書をドイツ語に翻訳するのです。当時の聖書はラテン語でしか書かれておらず、他の言語への翻訳は禁じられていました。ルターは自説が正しいと証明するためにも、聖書を母国語のドイツ語に翻訳し、故郷ドイツの人たちの支持を得ようとしたわけです。

ルターの改革で生まれた彼の一派は「ルター派」と呼ばれ、のちのカルヴァン派やイギリス国教会なども含めて、「新教」あるいは「プロテスタント」と総称されます。一方でこれ以降、カトリックは「旧教」とも呼ばれるようになります。

こうして見ると、宗教改革というのは、新しい思想を生み出したというよりも、「原理主義的な回帰」に近いといえるでしょう。ある意味では古典の復活である同時期のルネサンスと根本は共通しています。そしてこの原理主義的な回帰という意味では、ルターに遅れること20年ほどして登場する、カルヴァンの思想も変わりはないのです。そしてここでも、やはりキーとなるのが聖書です。

問13．ルターが贖宥状（免罪符）の販売に反対した理由は何か。簡潔に答えよ。
正解13．「贖宥状を買えば罪が赦されると、聖書には書いてない」から。

カルヴァンと予定説

ジャン＝カルヴァンは、1509年に北フランスのノワイヨンで生まれたフランス人でした。1523年に14歳でパリ大学に進学し、哲学・神学を修め、さらにブリュージュ大学で法学も学びます。この頃、フランスでもルターの宗教改革の影響が飛び火し、カルヴァンもこれに心酔しますが、1534年にフランスで新教徒への迫害が強まると、カルヴァンはこれを逃れて、フランス国境に近いジュネーヴ（当時は独立した都市共和国）に亡命します。

この地でカルヴァンは、自説を『キリスト教綱要』という著書にまとめ、刊行します。またジュネーヴ市民の求めに応じて市の実権を握ると、神権政治といわれる、神学を中核とした政治を主導し、改革を次々と施行します。

では、肝心のカルヴァンの思想はどんなものなのでしょうか。カルヴァンもまた、ルターと同じく、聖書を自ら読み込んで結論を得ます。その結論を「予定説」といいます。予定とは、「予《あらかじ》め定まっている」ということ。カルヴァンが聖書を読んで得た結論とは、「ある人が救済されるかどうかは、神によって予め決められており、個人が善行を積んだかどうかは関係がない」というものです。

確かに新約聖書を読んでみると、予定説と受け取れる文が散見されます（とはいえ、正直微妙といえば微妙です）。ともあれ、予定説の内容をパッと読んだ限りでは、「もうすでに決まってるなら、何やったって意味がないじゃないか」と思いがちですよね。もちろん、当時もそのように考えた人々が一定数いたことは確かです。ですが、ここでちょっとしたポイントがあるのです。

それは、「誰が救済されるかは明示されていない」ということ。仮に救済されることが約束された本人も、自分自身がそうなるかどうかは知らされていないわけです。結果を知っているのは神のみ。ではどうすれば、自分が救われるかどうかを、生きているうちに知ることができるのか？　カルヴァンもまた、ルターと同じように信仰を重視したわけですが、カルヴァン派の信者たちがそれ以上に注目したのが「職業」です。

カルヴァンのみならず、プロテスタントの教義には「職業は神より与えられたもの（＝天職）である」という主張があります。それぞれの人の職業は、神から与えられたものであり、それに没頭することが神の意志に沿うものだ、ということです。仕事に没頭すれば、その対価として富が蓄積されます。こうして蓄えられた富は、いわば「仕事を頑張ったゆえに神から与えられたご褒美」なのですから、富の蓄積に何の遠慮もいりません。さらに、プロテスタントでは「清貧（禁欲）」が求められるので、贅沢をせず、代わりに新しい事業の元手とし、残りは必然的に貯蓄に回されます。

これはかなり画期的な発想で、キリスト教史上で初めて、儲けを出すこと（＝営利活動）が肯定されたわけです。このカルヴァン派の思想が次第に世俗化、すなわち宗教性が薄れていくことで、儲ければ儲けるほど良いと認識されるようになり、のちの資本主義の普及に貢献することになったのです。

営利活動を肯定した予定説は、当時勃興しつつあった産業資本家など商工業者たちに急速に受容されました。また、カルヴァンは宣教団を組織して、西ヨーロッパ各地に自説を布教します。これにより、カルヴァン派の予定説は、西ヨーロッパ各地に拡大し、資本主義が急速に定着していくことになったのです。以上の論説は、19世紀生まれの社会学者マックス＝

ヴェーバーが、著書『プロテスタンティズムの倫理と資本主義の精神』においてすでに指摘しています。カルヴァンとその思想は、まさに産業革命の時代を予感させる潮流だったのです。

カルヴァン派の教義とスイス

さて、このカルヴァン派はジュネーヴ、つまり今日のスイスとの関わりも当然ながら非常に深いです。まずは長老主義。意外かもしれませんが、カルヴァン派やルター派といった新教では、（建前上は）聖職者が存在しません。ルター派では「万人祭司」といい、キリスト教徒はみな信仰上の身分は存在しないことになっています。

このため、ルター派やカルヴァン派では、教会で礼拝などを指導する人は牧師（英：pastor）と呼び、カトリックの司祭（英：priest）とは区別されます。牧師はあくまで一般信徒の延長にあるため、カトリックの司祭と異なり、結婚も許されているのです。

カルヴァン派では、この牧師の任免や教会の管理・運営に携わる人間を「長老」といいます。長老は、牧師と信者が直接選出します。この長老主義の体制は、まさにスイスの直接民主政そのものです。

イングランドのカルヴァン派（ピューリタンと呼ばれます）の一派は、1620年に北アメリカの東岸に移住し、プリマス植民地を建設します。のちにプリマス植民地はマサチューセッツ湾植民地に吸収され、1783年に独立を達成するアメリカ合衆国の一部となります。このプリマス植民地などでは、住民による直接民主政であるタウンミーティングが開催されました。このタウンミーティングは、今日のアメリカ合衆国でも継承されていますが、これもカルヴァン派の長老主義を反映したもの、ひいてはスイスの直接民主政の影響を受けたものといえます。

ともあれスイス、なかでもジュネーヴは、カルヴァンの宗教改革を育み、今日における資本主義社会の起源のひとつとなったのです。さながら「資本主義の揺籃《ようらん》の地」といえるでしょう。

3 もうひとつの近代――社会主義の根源

革新の時代――18世紀

スイスが育んだのは、資本主義に限りません。実は、社会主義もまた、その根源にスイスがあるといえます。そして、その根源に少なからぬ影響を与えたのが、またもやジュネーヴなのです。社会主義思想もまた、スイス伝統の直接民主政が大きく関わっています。

社会主義思想の根源を成したのは、18世紀の思想家であるジャン＝ジャック＝ルソー（1712～1778）です。ルソーが活躍した18世紀は、思想面においてはヨーロッパで大変な革新があった時代でした。16世紀に始まった宗教改革により、いよいよ教会の権威が決定的に失墜し、それにともない新たな思想が次々と誕生したのです。

その一例が科学であり、ニュートンやボイルに代表される科学者たちが、教会の解釈に代わって改めてこの世界の真理に迫ろうとします（ただし、彼らはあくまでも神の存在やキリスト教を否定しようとしたわけではないことには注意が必要です）。

これにより17世紀のヨーロッパは「科学革命」と通称される、様々な発見がありました。また、哲学思想においては、「啓蒙思想」と呼ばれる思想および思想家たちが登場します。そして、ルソーもこの啓蒙思想家の一人に数えられることが多いのですが、ひとまず啓蒙思想について見ていきましょう。

啓蒙思想の時代――「キリスト教」から「理性」へ

まず「啓蒙」とはどういう意味でしょうか。啓蒙は英語ではenlightenmentといい、lightの語が含まれる通り、「光を当てる」という意味が原義です。日本語ではこれを、「（無知）蒙（昧）を啓《ひら》く（＝開く）」と解釈して、「啓蒙」という訳語を当てたわけです。ではその光とは何か。ここでキーとなるのが、「理性」です。

先に述べた、ルターやカルヴァンの宗教改革により、西ヨーロッパのキリスト教界は新教と旧教の二大陣営に分かれ、対立が生じました。そしてこの対立は、際限のない殺戮を、お互いに繰り広げることになります。

その一例が、17世紀に生じた「三十年戦争」です。三十年戦争は、ドイツ（神聖ローマ帝国）の新教徒の領主と旧教徒の領主による内乱に始まり、さらにスペイン、デンマーク、スウェーデンにフランスなど、諸外国も巻き込んだヨーロッパ規模の大戦争に発展します。諸外国の利害が複雑に絡み合った結果、文字通り、この戦争は30年にわたって続いたのです。この三十年戦争で、ドイツでは戦前の人口の20％が失われた（実に5人に1人の命が犠牲となった）といいますから、その殺戮のすさまじさたるや、まさに筆舌に尽くしがたいといったところでしょう。

また、三十年戦争は、キリスト教の権威をますます失墜させたともいえます。そもそも「隣人愛」を旨とするはずの同じキリスト教徒同士が、際限のない破壊や殺戮を30年も繰り返したわけです。かつて中世では、教会に逆らえる権力者はいなかったことから、キリスト教が西ヨーロッパ諸国の抑止力となっていました。近世にはもはやそうした抑止力が存在しないことが、この戦争で証明されてしまったのです。

この三十年戦争を視察した一人に、オランダのグロティウス（1583～1645）がいます。グロティウスは三十年戦争を目にし、キリスト教に代わる新たな秩序の必要性を痛感します。このため、彼は新たな秩序として、法体系に注目します。つまり、法というものを、一国内だけでなく、国家間にも適用させるべきでないか、と考えたのです。この発想により、グロティウスは今日において「国際法の父」と称されます。

グロティウスは、著書『戦争と平和の法』において、法が重層構造にあると捉え、大まかに、以下の3つに区分しています。

・人定法……人間の意思で成立するもの。例として市民法など。
・神定法……神の意思で成立するもの。例として「モーセの十戒」など。
・自然法……正しい理性の命令による法ないしルール。

このなかで注目すべきは自然法です。ここでの自然法とは、「理性によって判断される法」を指します。「理性」とは考える力のことです。人間には、他の動物と異なり、考える力が備わっている、それを法として用いようというものです。

啓蒙思想では、この自然法の根源である理性について、様々な考察をします。「人々が理性に基づいて理想的な政治を実現するにはどうすればいいのか」を命題に、思考実験を繰り返すのです。この思考実験では、啓蒙思想家は、国家や王などが存在しない太古の昔に、人間たちはどのようにしてお互いを律してきたのかというシチュエーションを想定する場合が多いです。この啓蒙思想の登場により、いよいよ近代のキーワードである「理性の時代」が、着実に近づいてくることになるのです。

ルソーと人民主権論

では、啓蒙思想の背景と概要がつかめたところで、ルソーの思想に迫っていきます。しかしルソーは啓蒙思想家に数えられながら、その思想は啓蒙思想においては「異端」ともいうべき特徴を持っているのです。

ルソーの思想で取り上げるのが、「人民主権論」です。ルソーは、人間が理性に目覚めたことが、道を外すきっかけとなったというのです。理性に目覚めた人間は、法律や所有権などといった概念を生み出し、これにより不平等すなわち格差が生まれたと主張します。法律や権利といった社会制度が整備されるにしたがい、かえって人間の生活は不便となり、不平等がまかり通ってしまったというのです。

見方によってはこの発想は、啓蒙思想で土台とされた理性を全否定しかねない、非常に過激なものであったといえるでしょう。ですからルソーにいわせれば、法律だとか国家、政府といったものは、自然ではありません。自然ではないということは、むしろ理性は自然法に反するのではないかとすら主張します。

ルソーにとって理想的な政治とは、人々の一般意思が一致すること、つまり、一人ひとりの人間が直接政治に参加して政策を決定すべし、というものです。実際にルソーは、啓蒙思想家であるロック（1632～1704）らの主張する間接民主政や多数決を否定しています。

ルソーは直接民主政による全体の一致こそ必要だと考えたわけです。この直接民主政による一般意思の統一を、「人民主権論」と呼びます。ルソーはフランスで活躍した思想家ですが、彼の本来の出身地はスイスで、それもジュネーヴです。彼は故郷ジュネーヴの直接民主政を政治の理想とし、自身の思想を構築していたのです。

ルソーの思想とその後——スイスから「冷戦」が生まれた？

以上のように、ルソーの思想は18世紀の当時においては、非常にセンセーショナルであったといえるでしょう。そして、ルソーの思想は、いわば曲解される形で、後世の歴史に大きな影響を及ぼすことになります。例えば、ルソーは理性や社会制度を「自然ではない」とはいっています。しかし、必ずしも彼の著書には「自然が一番」とは明記されていません（そういっているように読める箇所は多々ありますが）。また、政府や国家の存在に疑問は呈しているものの、それらの存在を全否定しているかといえば、そうとも限らないのです。

しかし、後世の思想家たちのなかには、ルソーの思想を援用しながら、「貨幣や財産が存在するから格差が生まれた！　その財産を守るために政府や国家が生まれた！　だから政府や国家がある限り不平等は解消されない！」といったような（過激な）主張に結び付けることも珍しくはなかったのです。さらに、19世紀になると、イギリスで始まった産業革命（工業化）が世界各国にも広まり、同時に「労働者」という階級が現れます。当時の労働者は、彼らの雇用主である資本家により搾取されており、格差社会がより一層深刻になったのです。

この状況を打開せんと様々な思想が生まれます。そうした思想のうち、「社会格差の是正を目指そう」という思想が「社会主義」と呼ばれるようになります。注意してほしいのは、一口に「社会主義」といっても、思想家によって様々な主張があることです。この様々に分かれた社会主義のうち、近現代史に最も影響を与えたのは、マルクス主義とその系譜でしょう。

社会主義を代表する思想家ともいえるカール＝マルクス（1818～1883、彼もまたルソーの影響をヘーゲルを通して受けています）は、1848年に発表した『共産党宣言』において、「万国のプロレタリアよ、団結せよ」と締めくくりました。マルクスは、国家や政府すら存在せず、人々が産業を共有できる社会を「共産社会」とし、これを理想としていました。このあたりからも、ルソーの影響を少なからず受けていることがうかがえます。そして、その理想である「共産社会」は、プロレタリア（労働者階級）の世界的な革命によりもたらされる、と主張したのです。だからこそ、世界中のプロレタリアは団結せねばならない！　としたわけですね。これをマルクス主義と呼びます。

マルクスは、最初に資本主義が高度に発達したイギリスで、プロレタリアによる革命が起きると考えていましたが、世界で最初にその革命が起きたのは、資本主義の後発国であったロシアでした。第一次世界大戦のさなかの1917年にロシアで2度の革命が起き、これにより史上初となる社会主義国家、ソヴィエト社会主義共和国連邦（ソ連）が、192

2年に成立します。ソ連は、建国当初からアメリカ合衆国をはじめとする資本主義諸国と対立を続けていました。第二次世界大戦では枢軸国（ファシズム陣営）を相手に共闘しましたが、大戦終結後は世界の覇権をめぐって、アメリカとソ連は激しい対立を展開します。「冷戦」の始まりです。

しかし、こうして見ると、「冷戦」の対立軸となった資本主義と社会主義は、両者ともスイス、それもジュネーヴという地にその起源を持ち、影響を受けたという共通点が見出せます。

スイスという、近世まではヨーロッパの「辺境」に過ぎなかった地域で、のちの世界情勢を二分する思想が育まれたという一連の出来事は、数奇な運命としかいいようがありません。もちろんスイスだけが「冷戦」の原因であったわけではありませんが、歴史の根源や本質に触れるということは、このように様々な可能性を考えることでもあります。あらゆる事象・現象は、必ずしもひとつだけの原因に帰するとは限りません。様々な可能性を探って考察する、これこそが歴史を学ぶうえでの最大のポイントであり、醍醐味でもあると私は考えるのです。

主要参考文献

川北稔『世界システム論講義　ヨーロッパと近代世界』筑摩書房、２０１６年
ウィリアム・Ｈ・マクニール著、増田義郎・佐々木昭夫訳『世界史』中央公論新社、２００１年
ウィリアム・Ｈ・マクニール著、清水廣一郎訳『ヴェネツィア　東西ヨーロッパのかなめ１０８１－１７９７』講談社学術文庫、２０１３年
北村厚『教養のグローバル・ヒストリー』ミネルヴァ書房、２０１８年
北村厚『20世紀のグローバル・ヒストリー』ミネルヴァ書房、２０２１年
稲畑耕一郎監修、劉煒編、趙春青・秦文生著、後藤健訳『図説中国文明史１　先史　文明への胎動』創元社、２００６年
稲畑耕一郎監修、劉煒編、尹盛平著、荻野友範・崎川隆訳『図説中国文明史２　殷周　文明の原点』創元社、２００７年
稲畑耕一郎監修、劉煒編著、何洪著、荻野友範訳『図説中国文明史３　春秋戦国　争覇する文明』創元社、２００７年
稲畑耕一郎監修、劉煒編著、伊藤晋太郎訳『図説中国文明史４　秦漢　雄偉なる文明』創元社、２００５年

稲畑耕一郎監修、劉煒編、羅宗真著、住谷孝之訳『図説中国文明史5　魏晋南北朝　融合する文明』創元社、2005年
稲畑耕一郎監修、劉煒編、尹夏清著、佐藤浩一訳『図説中国文明史6　隋唐　開かれた文明』創元社、2006年
稲畑耕一郎監修、劉煒編、杭侃著、大森信徳訳『図説中国文明史7　宋　成熟する文明』創元社、2006年
稲畑耕一郎監修、劉煒編、杭侃著、表野和江訳『図説中国文明史8　遼西夏金元　草原の文明』創元社、2006年
稲畑耕一郎監修、劉煒編、王莉著、児島弘一郎訳『図説中国文明史9　明　在野の文明』創元社、2006年
稲畑耕一郎監修、劉煒編、陳萬雄・張倩儀著、川浩二訳『図説中国文明史10　清　文明の極地』創元社、2006年
サイモン・アングリム他著、天野淑子訳『戦闘技術の歴史1　古代編』創元社、2008年
マシュー・ベネット他著、淺野明監修、野下祥子訳『戦闘技術の歴史2　中世編』創元社、2009年
クリステル・ヨルゲンセン他著、淺野明監修、竹内喜・徳永優子訳『戦闘技術の歴史3　近世編』創元社、2010年

ロバート・B・ブルース他著、淺野明監修、野下祥子訳『戦闘技術の歴史4　ナポレオンの時代編』創元社、2013年
マイケル・E・ハスキュー他著、杉山清彦監修、徳永優子・中村佐千江訳『戦闘技術の歴史5　東洋編』創元社、2016年
上田信『中国の歴史9　海と帝国　明清時代』講談社学術文庫、2021年
岩村忍『文明の十字路＝中央アジアの歴史』講談社学術文庫、2007年
林俊雄『スキタイと匈奴　遊牧の文明』講談社学術文庫、2017年
ピーター・フランコパン著、須川綾子訳『シルクロード全史』（上）（下）、河出書房新社、2020年
ロバート・マーシャル著、遠藤利国訳『モンゴル帝国の戦い』東洋書林、2001年
杉山正明『大モンゴルの世界』角川ソフィア文庫、2014年
マックス・ヴェーバー著、内田芳明訳『古代ユダヤ教』（上）（中）（下）、岩波文庫、1996年
G・プラスガー著、矢内義顕訳『カルヴァン神学入門』教文館、2017年
堀越孝一『中世ヨーロッパの歴史』講談社学術文庫、2006年
ドナルド・マシュー著、橋口倫介監修、梅津尚志訳『図説世界文化地理大百科　中世のヨーロッパ』朝倉書店、2008年

山内進『北の十字軍　「ヨーロッパ」の北方拡大』講談社学術文庫、２０１１年
ハンス・フリードリヒ・ローゼンフェルト、ヘルムート・ローゼンフェルト著、鎌野多美子訳『中世後期のドイツ文化――１２５０年から１５００年まで』三修社、１９９９年
瀬原義生『スイス独立史研究』ミネルヴァ書房、２００９年
堀越宏一、甚野尚志『15のテーマで学ぶ中世ヨーロッパ史』ミネルヴァ書房、２０１３年
デヴィッド・ニコル著、桑原透訳『シャルルマーニュの時代　フランク王国の野望』新紀元社、２００１年
田上雅徳『入門講義　キリスト教と政治』慶応義塾大学出版会、２０１５年
玉木俊明『近代ヨーロッパの形成　商人と国家の近代世界システム』創元社、２０１２年
橋爪大三郎、大澤真幸『ふしぎなキリスト教』講談社現代新書、２０１１年
山口周『武器になる哲学　人生を生き抜くための哲学・思想のキーコンセプト50』ＫＡＤＯＫＡＷＡ、２０１８年
須田武郎『Truth In Fantasy78 騎士団』新紀元社、２００７年
田中正人編著、香月孝史著『社会学用語図鑑』プレジデント社、２０１９年
馬屋原吉博『世界史のキホンが2時間で全部頭に入る』すばる舎、２０２１年
Becker, Katherine A., *The Swiss Way of War: A Study on the Transmission and Continuity of*

Classical and Military Ideas and Practice in Medieval Europe, Diss. Ohio State University, 2009.
Carey, Brian Todd, *Warfare in the Medieval World*, Barnsley, 2006.
DeVries, Kelly, *Infantry Warfare in the Early Fourteenth Century*, Woodbridge, 1996.
DeVries, Kelly, *Medieval Military Technology*, Woodbridge, 1992.
Hanson, Victor Davis, *The Western Way of War: Infantry Battle in Classical Greece*, California, 2nd ed., 2009.
Nicolle, Dacid, *European Medieval Tactics (1): The Fall and Rise of Cavalry 450-1260*, Oxford, 2011.
Nicolle, David, *European Medieval Tactics (2): New Infantry, New Weapons 1260-1500*, Oxford, 2012.
Turnbull, Stephen, *Mongol Warrior 1200-1350*, Oxford, 2003.
White, Lynn, Jr., *Medieval Technology and Social Change*, Oxford, 1966.

おわりに

本書は、高等学校（および大学受験）における世界史の内容を出発点に、様々な観点から歴史上の事象を捉えなおすことを試みました。おそらく大多数の読者のみなさんにとっては、かなり新鮮な印象を受けられたのではないかと思います。ですが、ここでひとつ注意しておきたいことがあります。本書で紹介した様々なトピックは、「あくまで可能性のひとつに過ぎない」ということです。言い換えれば、見方・捉え方の違いに過ぎず、本書で紹介したことが、唯一絶対の正解ではないということです。

歴史を扱った本やテレビ番組などで、「○○の時代は、実は××だった」という言説を目にすることがあります。そして、これらは概して好評を博することが多いようです。なぜこのような内容に、私たちは新鮮さを感じるのでしょうか。このことは、私たち現代人が、過去を相対化して捉えていないということの裏返しではないかと、私は考えます。

過去のどの瞬間を切り取っても、そこには多様な価値観がひしめき合っており、その当時はある性格だけが採り上げられ、他の性格は埋もれてしまったというだけなのです。しかし、時間が経過し価値観などに変化が生じることで、かつて埋もれた性格が後世に脚光を浴びることがあります。これが「再評価」と呼ばれることの実態です。

結局のところ、過去の評価は未来人の価値観によって大きく左右されてしまいます。過去の出来事そのものは変わることはありません。一方で、未来人が様々な価値観や解釈を加えることで、過去は絶えず有機的に変化を続けているのです。

古代中国の思想家・孔子の言葉に、「故《ふる》きを温《たず》ねて新しきを知る」というものがあります。過去の歴史とは現代や未来を映し出す鏡である、という言葉です。この言葉にもう一歩踏み込んだ解釈を加えると、過去と向かい合うことで未来人は自身の価値観や考えが相対化され、共感や意外性を抱くのだと私は考えます。私たちが過去と向かい合うとき、そこで問われているのは私たちが生きる「今」という瞬間ではないかと思うのです。

こうした過去と向かい合うときにメルクマール（指標）となるのが、世界史に登場する用語です。教科書などで強調されていたり、受験で頻繁に問われたりする用語だけが、必ずしも重要とは限りません。すべての用語（＝メルクマール）には必ず意義があり、この意義を介して過去を有機的に捉えなおすことができるのです。ですから、究極的には世界史に無駄な用語や些末な用語というものは存在しえないのです。

さて、ここで本書の最後のクエスチョンです。

問．現代とは、今とは何か。

このクエスチョンに解答は存在しません。私たちが生きる現代という時代を客観的に捉えることは、極めて難しいといえます。そして、未来を予測することはさらに不確実性が増すばかりです。だからこそ私たちは、過去に問いかけるのです。歴史を学ぶとき、過去が未来人にメッセージを絶えず発しているように、私たちも過去に対して「今」という時代を常に問いかけているのです。

著者紹介

伊藤 敏（いとう・びん）

▶1988 年、東京都に生まれる。筑波大学卒業、同大学院にて修士号を取得し、博士後期課程単位取得退学。高校非常勤講師や塾講師を経て、2019 年より代々木ゼミナール講師として首都圏や北海道などで活動。板書での図解、なかでも正確無比な地図の描写と、「世界史の理解」を信条とした解説に定評がある。趣味は素描画、喫茶店めぐりなど。

◉── 装丁　竹内雄二
◉── 本文デザイン・DTP　Isshiki
◉── 図版作成　藤立育弘
◉── 校閲　曽根信寿

歴史《れきし》の本質《ほんしつ》をつかむ「世界史《せかいし》」の読《よ》み方《かた》

2023 年　3 月 25 日　初版発行
2024 年 10 月 17 日　第 5 刷発行

著者	伊藤《いとう》 敏《びん》
発行者	内田 真介
発行・発売	ベレ出版 〒162-0832　東京都新宿区岩戸町12 レベッカビル TEL.03-5225-4790 FAX.03-5225-4795 ホームページ　https://www.beret.co.jp/
印刷	三松堂株式会社
製本	根本製本株式会社

ISBN 978-4-86064-718-6 C0022　　編集担当　森 岳人